# ✝ EL HÉROE DE
# HACKSAW

LA CONMOVEDORA  HISTORIA VERÍDICA DETRÁS DE LA PELÍCULA

# RIDGE

DESMOND DOSS: EL RELATO OFICIAL AUTORIZADO
(VERSIÓN ABREVIADA)

+

# EL HÉROE DE
# HACKSAW

LA CONMOVEDORA  HISTORIA VERÍDICA DETRÁS DE LA PELÍCULA

# RIDGE

## BOOTON HERNDON
POSDATA POR
### DOUG BATCHELOR

**Remnant**
Publications

Publicado por
Remnant Publications
649 E. Chicago Road
Coldwater, MI USA 49036
www.remnantpublications.com

**El Héroe de Hacksaw Ridge**
Por Booton Herndon
Copyright © 2016
Consejo Desmond Doss
Asociación de los Adventistas del Séptimo
Día de Georgia-Cumberland

Ilustración Cinematográfica © 2016
Summit Entertainment, LLC.
Todos los derechos reservados.

**La fe que hizo al hombre**
Por Doug Batchelor
Copyright © 2016
Amazing Facts, Inc.

Diseño de la cubierta: David Berthiaume
Diseño del texto: Greg Solie • Altamont Graphics
Traducción: Caleb Torres

ISBN: 978-1-629131-58-0

# CONTENIDO

# CAPÍTULO 1

## EL SOLDADO MÁS SOLITARIO

Pronto se acercaba la hora de Taps (pieza musical que a menudo se toca al acercarse el anochecer) y un escándalo de ruido y confusión impregnaba el antiguo cuartel de madera mientras que los hombres de la compañía se preparaban para dormir. Había sido un día largo y exhausto. La afamada 77ª División, de la Primera Guerra Mundial, había sido reactivada para fungir nuevamente en guerra y apenas iniciaba su formación militar. La insignia de la división, la Estatua de la Libertad, indicaba su sede, y los hombres asignados a esta eran típicos de la diversidad de la ciudad de Nueva York. Muchos habían sido reclutados en el invierno y la primavera de 1942, poco después del ataque a Pearl Harbor. Gran parte de sus integrantes eran hombres de edad y eran más duros y más cínicos que el recluta típico. Ahora, arremolinándose en el sencillo cuartel de madera en varios grados de desnudez, uniformes verdes y ropa interior verde oliva, protestaban en vocerío obsceno a todos y a todo en sus duros acentos neoyorquinos.

En medio del vocifero estruendo un joven delgado de cabello rizado se posaba tranquilamente sobre su cama cuidadosamente tendida y de color café. Si para los hombres rudos que lo rodeaban el día había sido difícil, para él había sido una pesadilla en vida. Había sido reclutado como voluntario. Aun así, como objetor de conciencia, Desmond había entrado a la fuerza armada por su propia voluntad y era un no combatiente. Aunque ansioso por servir a su patria, traía consigo la garantía por escrito del presidente de los Estados Unidos, Franklin D. Roosevelt vía la Orden Ejecutiva Número 8606, y por el Jefe de Estado del Ejército, que no se vería obligado a portar armas.

Naturalmente, Desmond supuso que sería asignado a alguna sección de entrenamiento médico. Mas ahora se hallaba situado en medio de una compañía de infantería. De aspecto larguirucho y con el acento de las montañas del sur del país, no compartía ni el aspecto ni el sonoro tono de la bulla que habitaba en aquel cuartel.

No solo para hallar consuelo sino como parte íntegra y significativa de su vida diaria, el joven soldado se mantenía con su Biblia. Como siempre, hallaba en ella, en la Palabra de Dios, un sentimiento de paz y consuelo.

Cerró el libro y en un movimiento fluido, habito de muchos años, se puso de rodillas al lado de su litera para elevar su corazón en oración.

"¡Miren! ¡Es clérigo!", gritó uno por encima del bullicio. "¡Ora, ora predicador!"

Aullidos de burla, pitidos, y silbidos se oyeron en el cuartel. Mas el joven soldado se mantenía en oración, quieto sobre sus rodillas.

Aquellos hombres testarudos, irritados y malhumorados tras un día cansado y lleno de tensiones, introducidos a un ambiente nuevo y exigente, estaban dispuestos a disipar sus emociones sobre cualquiera. Y ahora habían hallado al perfecto chivo expiatorio. De pronto un pardusco y pesado zapato militar voló sobre una litera y terminó chocando en el suelo enseguida del piadoso joven bisoño. Por poco acertaban. Después voló uno tras otro, acompañados de burlas y pitidos. El hombre de rodillas, aunque espantado y confuso, mantuvo su postura. No quería ser el blanco de otro pesado calzado pero tampoco quería abreviar sus oraciones. ¡No era el momento para ofender a su Señor!

De afuera entraba el sonido de las primeras notas del Taps. El sargento en guardia asomó su cabeza a la larga aula del cuartel y gritó, "¡Hombres! ¡apláquense ya!"

Se apagaron las luces. El bullicio cesó. El joven soldado terminó sus ruegos y se metió a su litera. Las claras y sombrías notas del Taps se disiparon en las tinieblas de la noche, mientras el joven permanecía en silencio en su solitaria litera, sus ojos húmedos con lágrimas de dolor y soledad.

Así terminó el primer día del soldado de primera clase, Desmond Doss, en la 77ª División de infantería.

Los días que siguieron no fueron mucho mejores. Cada anochecer continuaba el ridículo en el cuartel. Aunque ahora esperaba hasta que se apagaran las luces antes de arrodillarse, aun así se oía el silbido de algún calzado que volaba con fuerza en su dirección. Le ofendía más que nada el oír el tercer mandamiento quebrantado constantemente a su alrededor. Sus compañeros pronto se dieron cuenta que llamarle "Santo Jesús" causaba gran angustia. Un hombre de voz ruda y de aspecto cantinero llamado Karger,[1] que parecía odiar a medio mundo y a toda religión, se daba la tarea de antagonizar al joven Desmond. Nunca en su vida había oído a una persona tomar el nombre de Dios de manera tan alocada.

Al parecer Karger se deleitaba en derramar su mal humor sobre Doss. Solía decir, "Doss, al entrar al combate de guerra, no vas a volver vivo. Yo mismo te voy a disparar". Luego reía.

---

1    Todos los nombres en esta obra son verídicos excepto tres: Karger, Steinman, y Cosner. El Sr. Doss pidió que se velaran sus identidades para evitarles el bochorno.

Pero él no combatiente tenía otro problema. Aunque había sido asignado a la infantería, se negaba a aceptar un arma de fuego. Fue en vano que el sargento de municiones, el sargento del pelotón, el teniente comandante del pelotón, y el capitán comandante de la compañía le dieron órdenes de obtener un arma. El larguirucho privado se negaba respetuosamente. Como alternativa, intentaron convencerlo con amenazas, gritos, juegos, y halagos.

Desmond Doss comprendía la postura de sus superiores, y nunca fue su intención causarles problemas. Era simplemente que sentía tener ordenes de una Autoridad Superior.

Para Desmond la religión era algo muy personal y directo. Se había criado en un hogar Adventista del Séptimo Día y había recibido su educación escolar en una escuela adventista de una sola aula. Siempre había participado intensa y exclusivamente en una iglesia Adventista del Séptimo Día. Su madre, sus maestros, y sus líderes religiosos le habían enseñado que la Biblia es la Palabra de Dios. Desmond había aceptado esa enseñanza implícitamente. Para él los 10 Mandamientos no eran tan solo una guía indirecta de conducta que debía seguirse cuando fuera posible. Para Desmond, eran lo que la santa Biblia declara que son: la voluntad del Dios Todopoderoso. Desmond creía que se aplicaban personalmente a él, Desmond Thomas Doss.

En la sala de su casa en Lynchburg, Virginia, colgaba un cuadro que presentaba los Diez Mandamientos. De niño, Desmond a menudo trepaba sobre una silla para estudiar cuidadosamente el cuadro. Aquellas sesiones de arte religioso ocurrían solo cuando sus padres no estaban en casa, pues era regla del hogar que los niños no debían pararse sobre las sillas de la sala.

Cada mandamiento iba acompañado de una ilustración. El mandamiento que más llamaba la atención del joven era el sexto: no matarás. En la ilustración se veía a Caín y Abel. El cuerpo de Abel yacía inerte sobre la tierra húmeda, bañado en una laguna de su propia sangre. Posado sobre él estaba el homicida Caín, con daga en mano.

El pequeño Desmond veía la foto horrorizado y fascinado a la misma vez. ¿Cómo podía un ser humano ser tan malo como para quitarle la vida a su propio hermano? Desmond venía de una familia afectuosa, amorosa y feliz. Su padre, William Thomas Doss, era un carpintero que, durante el infancia de Desmond, le dio una vida cómoda a su esposa y sus tres hijos. Desmond, nacido en Febrero de 1919, era el hijo de en medio. Su hermana, Audrey, era cuatro años mayor y su hermano, Harold Edward, dos años menor

En una ocasión Harold se enfermó con un tipo de influenza poco común, y sufría de una fiebre elevada. El resto de la familia permaneció a su lado toda la noche mientras Harold deliraba. Se encontraba en tal agonía que hubo un punto en que su madre se arrodilló a su lado, orando. Desmond recordaba que su madre repitió las palabras del Padre Nuestro: "Hágase tu voluntad". Y añadió, "Y si es tu voluntad oh Dios, llevarte a Harold, por favor hazlo ahora. Te ruego que pueda descansar y no sufrir más. Mas si no es tu voluntad llevártelo, te ruego que lo libres pronto de esta angustia y dolor, y lo pedimos en el nombre de Jesús".

Pronto la fiebre se desvaneció y el dolor y el delirio de Harold se disiparon. Él niño durmió profundamente. A la siguiente mañana el médico se maravilló ante su pronta recuperación. La madre de Desmond le contó al médico cómo había orado por el bien del niño. El médico inclino su cabeza y dijo a Harold, "Hijo, el Señor ha tenido misericordia de ti".

En la mente juvenil de Desmond era un deber orar por los hermanos. Trepado sobre una silla en la sala de su hogar estudiando la ilustración de Caín matando a su hermano, Desmond decidió siempre obedecer el sexto mandamiento y todos los demás, mientras tuviese vida.

Sin embargo, a pesar de que Desmond nunca se buscaba problemas, tampoco le gustaba ser el blanco de agresión. En la escuela primaria algunos chicos del vecindario solían hacerle la vida difícil. Inicialmente decidió solo ignorarlos, pero un día caminando a casa se vio bloqueado por una pandilla de jóvenes maleantes.

Uno de ellos se adelantó y le dio un empujón, diciendo, "Ahora sí te va a llover".

Sintió el peso del temor en el hueco de su vientre. Sabía que recaería sobre él el impacto de mil puños, pero decidió no permanecer en la inacción. Sin mas, Desmond saltó sobre su agresor, lanzando puños violentamente. El ataque sorprendió al líder de la pandilla, quien se echó a la fuga. Ahí terminó la pelea. Desde aquel día los chicos del vecindario no le molestaron más.

En Lynchburg el béisbol era el deporte favorito durante la niñez de Desmond. Los chicos del vecindario comenzaban a jugar en el primer día caluroso de la primavera y continuaban jugando durante todo el verano. A Desmond le gustaba jugar tanto como a los demás hasta el día en que, a la edad de ocho años, se cortó la palma de la mano al caer sobre una botella de vidrio. Los fragmentos de vidrio cortaron varios tendones a través de la palma de su mano.

Al examinar los dedos de Desmond que colgaban flojos, el médico le dijo, "No podrás usar más esta mano, Desmond".

Mas la madre de Desmond no se daba por vencido fácilmente. Una vez cerrada la laceración, comenzó a darle masaje en la mano, dando movimiento a sus dedos. Con su ayuda y ánimo, Desmond recobró el uso total de sus dedos, pero la cicatriz que cruzaba su palma de un lado a otro permaneció, siempre sensible al más mínimo toque. Desafortunadamente, Desmond no pudo participar más en deportes que requerían el uso de dos manos.

Al principio Desmond se sintió desplomado, mas al pasar los días vio que había mucho más para un joven enérgico que jugar deportes. Tomó más tareas en la casa. Su madre cultivaba un jardín de flores y él se apego a ella, laborando hora tras hora para ayudarle a su mamá y a la naturaleza a crear bellezas. Pronto brotaban tantas flores que comenzaron a compartirlas con los demás. Al principio compartían con sus vecinos, especialmente cuando alguno caía enfermo. La gente mostraba tanto aprecio que pronto Desmond comenzó a llevar flores al hospital y aun a la cárcel. Se dio cuenta que compartir la belleza era aun más placentero que cultivarla.

Pero las visitas no eran siempre placenteras. Un paciente indigente y anciano, sin amigos ni familia en el mundo moría de una enfermedad incurable. No tenía para pagar a una enfermera y Desmond se ofreció a hacerle compañía. Su dolor era tan intenso que Desmond casi sentía el dolor en sí mismo hasta que un día, sin poder ya más, corrió tras el médico.

"¡Por favor! Denle algo para su dolor".

El doctor le dio una cariñosa palmada en el hombro y le dijo, "Ya le dimos una dosis masiva. Por el momento sería dañino darle más".

Esa noche, la muerte salvó al paciente de más sufrimiento. Desmond se fue a casa, pero no pudo dormir. Aun podía escuchar los alaridos y gemidos de dolor. Sin embargo, el niño no se arrepentía de haber pasado tiempo al lado del pobre hombre. Hizo lo más que pudo haber hecho. El paciente no murió solo y sin compañía.

El joven aprendió que aun en momentos tan tristes, existe un sentimiento positivo de satisfacción cuando se hace lo mejor posible por otro ser humano. Esto en sí, era recompensa suficiente.

En otras ocasiones obtuvo aun mejores resultados. Un sábado se interrumpieron los servicios de iglesia al anunciarse que una mujer que había sido miembro de la congregación y necesitaba desesperadamente una transfusión de sangre. Junto con otros miembros de la congregación, Desmond partió de inmediato al hospital. Al viajar juntos, nadie se preguntó por qué la mujer dejó de asistir a la iglesia. Eran Adventistas, pero hubo un malentendido cuando se mudaron a Lynchburg algún tiempo atrás. Creyendo que no eran bienvenidos en la iglesia, el orgullo les prevenía volver.

En el hospital se descubrió que solo la sangre de Desmond coincidía con la sangre del paciente. Pero él no era más que un adolescente flacucho; pero la condición del paciente era crítica y, sin más, Desmond ofreció su sangre. Al terminar, se puso de pie repentinamente y tuvo que sostenerse de la cabecera de la cama en la que se había recostado para evitar caer al suelo.

La mujer se recuperó y con su esposo pidió a Desmond que le visitará. En su gratitud ofrecieron pagarle a Desmond y cuando el joven se negó, le ofrecieron cualquier obsequio de su escoger.

"De hecho hay un regalo que me haría muy feliz. Vuelvan a la iglesia".

Volvieron. Y llegaron a ser miembros dedicados de la congregación.

Con este tipo de experiencias, Desmond ingresó al molde de un médico de combate modelo del Ejército de los Estados Unidos. Los líderes a los niveles más elevados de las fuerzas armadas en Washington sabían de la existencia de hombres con sentimientos como los de Desmond y habían realizado una póliza oficial para aprovechar de sus servicios. Un cuarto de siglo atrás, durante la Primera Guerra Mundial, objetores de conciencia legítimos habían sido maltratados y echados en prisión. Algunos habían sufrido ataques físicos, incluyendo patadas, puñetazos, y hasta sumergidos de cabeza en letrinas. En el transcurso de la guerra, 162 miembros de la Iglesia Adventista del Séptimo Día habían comparecido ante la corte marcial a causa de sus convicciones religiosas. Al concluir la guerra, 35 de ellos estaban sirviendo sentencias de entre cinco a veinte años en trabajos forzados. Gracias a los incansables esfuerzos de líderes religiosos basados en la tradición de libertad religiosa para todos, aquellos hombres recibieron un perdón en el armisticio del 11 de noviembre de 1918.

En el período entre las dos guerras mundiales, y en respuesta a la cuestión de cómo la juventud adventista joven podía servir a su país en armonía con Romanos 13:1 sin desobedecer el sexto mandamiento, se desarrolló un programa especializado en el cual la iglesia y las fuerzas armadas cooperaban para asegurar que los Adventistas pudieran servir en puestos del departamento médico. En 1934 los Adventistas organizaron el cuerpo de cadetes médicos para entrenar a su juventud de edad pre-pubescente los fundamentos del servicio médico militar. Algunos colegios y academias adventistas en los Estados Unidos y otros países establecieron unidades de cadetes médico militares, con énfasis al servicio a la nación dentro del rubro de principios religiosos. En reconocimiento de este valioso servicio por jóvenes ansiosos de servir a su país pero sin la disposición de portar armas, el Congreso de los Estados Unidos específicamente incluyó en la ley de reclutas militares una provisión que el objetor de conciencia debía ser asignado al departamento médico.

Desmond Doss estaba consciente de la situación. Al registrarse para ser reclutado junto con otros jóvenes de Lynchburg, fue clasificado I-A-O. La letra O significa objetor de conciencia. Desmond registró una protesta leve a la comisión local de reclutamiento.

Declaró: "No soy un objetor de conciencia. Estoy dispuesto a servir. Lo que soy es un no combatiente".

"No existe tal clasificación. Eres I-A-O y así vas a permanecer", vino la respuesta.

De acuerdo al procedimiento oficial entre la iglesia y las fuerzas armadas, los Adventistas no serían voluntarios al Ejército sino que esperarían su turno en el proceso de reclutamiento oficial. Mientras esperaba, Desmond trabajó en un astillero, una industria vital en tiempos de guerra, y había tomado un curso en primeros auxilios para prepararse al servicio al llegar su momento. Cuando este llegó, un oficial del astillero le sugirió que podía valerse de un aplazamiento en base a su oficio, que era esencial a la industria. Desmond se negó a considerarlo.

Desmond contestó: "Mi puesto aquí no es esencial y ambos lo sabemos".

Varios de sus amigos se alistaron para servir. Algunos fueron clasificados 4-F: no aptos para servir. En respuesta, algunos se quitaron la vida por vergüenza de no poder servir a su patria. Esto profundamente afectó a Desmond. Como resultado, a pesar de los ruegos de su madre y por encima de las objeciones de su padre, Desmond deseaba desesperadamente cumplir con su deber patriótico, y el primero de abril de 1942, se alistó al ejército en Camp Lee, Virginia. Sin embargo, en lugar de ser enviado a entrenamiento básico en el departamento médico, fue asignado a la nuevamente reactivada 77ª División, en Fort Jackson, Carolina del Sur. Los reclutas habían de entrenar como una unidad. En medio de la confusión de esos primeros días del esfuerzo de guerra, Desmond Doss, clasificado I-A-O, se vio atrapado en una compañía de infantería..

En el Ejército hay un dicho para el que se queja: ve y dilo al capellán. Y así lo hizo Desmond. El capellán, el Capitán Carlos Stanley, los recibió calurosamente y lo escuchó con cuidado. El capitán era amigo cercano de un ministro de la Iglesia Adventista del Séptimo Día, y conocía bien las costumbres y creencias de la pequeña pero extremadamente activa denominación protestante. Comprendió que este soldado era verdaderamente un objetor de conciencia y por lo tanto merecedor de todas las protecciones de la ley; merecía ser asignado al departamento médico. El capitán explicó la situación en el cuartel general de la División, y de pronto Desmond fue asignado a los médicos, donde realmente pertenecía. Ahí comenzó su entrenamiento como un médico de combate.

La medicina militar es una especie de primeros auxilios avanzados aplicables al campo de batalla. Desmond pronto se aprendió el contenido de sus dos equipos de primeros auxilios de lona y el uso preciso de cada artículo. Había apósitos de batalla para cubrir heridas abiertas, y paquetes pequeños de sulfanilamida para rociar sobre heridas abiertas. Había también inyecciones de morfina en dosis para aliviar el dolor. Desmond aprendió no solo cómo preparar la inyección sino además cuándo administrar la medicina y cuando no. En ciertas heridas la morfina puede ser fatal.

Junto con los otros estudiantes de primera, aprendió a usar cualquier material que tuviera disponible—las culatas de los rifles y los tallos de árbol—para formar tablillas para fracturas. Aprendió a administrar plasma sanguíneo en el campo de batalla. Qué hacer para aliviar el shock; cuando administrar el agua y cuando retenerla. Era verdaderamente todo un curso de estudio. La mente de Desmond recordó la pequeña escuelita de tejas de color marrón de su iglesia en Lynchburg, donde como niño había tenido sólo una maestra para los ocho grados de primaria. Cada grado contenía sólo unos cuantos niños, facilitando a la maestra el dar atención enfocada a cada grado. Desmond recordaba que cuando le tocaba a su grupo recitar se movían a las bancas de la primera hilera. Al hacerlo se acercaban no sólo a la maestra sino también a la estufa de leña al frente del aula. En los días d invierno todo niño esperaba con ansias el momento de recitación y el cálido abrazo del calentón.

¿Quién no recuerda su primer maestro o maestra? Desmond nunca olvidaría a la señora Nelly Ketterman. Después de su madre, fue la otra gran influencia de su infancia. Cuando su timidez era demasiada para permitirle recitar en clase, fue ella quien le ofreció ánimo. Cuando parecía que no podría lograr formar letras legibles, fue ella quien se quedó con él después de clase y con cariño y calidez guió su lápiz una y otra vez hasta que sus figuras acartonadas formaron números y letras.

Un día le tocó a Desmond lavar los pizarrones y desempolvar la tiza de las gomas de borrar. Desmond había chocado las gomas en sus manos unas cuantas veces, pero eso no le pareció a la Sra. Ketterman.

Dijo ella: "Si vale la pena hacer una tarea, vale la pena hacerla bien". Fue la primera vez que Desmond oía esa simple filosofía, he hizo una impresión indeleble en su mente. Si vale la pena hacer una tarea, vale la pena hacerla bien. Esa frase pasó a ser parte de su forma de vivir.

A Desmond no le fue posible ingresar más allá del octavo grado de primaria. La gran depresión económica de los 1930's le robó a su padre el empleo, y Desmond se vio forzado a trabajar para ayudar a la familia. Consiguió trabajo en un almacén de madera, un trabajo difícil y pesado. Pero ganaba 10 centavos por hora, 50 horas a la semana. De $5 dólares, devolvía

50 centavos a la iglesia como diezmo, daba $3 a su madre, y se gastaba 50 centavos a la semana en transporte al almacén. Con el último dólar se compraba su ropa y otras necesidades.

Aunque había terminado la escuela primaria, Desmond continuó asistiendo a la escuela sabática. En el aula de la escuela sabática colgaba un cuadro grande con una representación del Mar de Galilea. Cada estudiante podía pegar allí una calcomanía por hacer acto de presencia y ser puntual, por saber la lección semanal y memorizar el versículo bíblico de la lección. Además, quien pudiera recitar todos los versículos de tres meses a una vez, se ganaba una Biblia. Y el premio por asistencia perfecta cada trimestre era un lindo marca páginas. Una día Desmond faltó en su asistencia, lo que borró su asistencia perfecta para este trimestre. De allí, nunca volvió a faltar, y siempre preparaba su lección con tiempo.

En otra ocasión su familia había salido del pueblo y no volvieron a casa hasta las altas horas de la noche. El próximo día era sábado y Desmond no había preparado su lección. Exhausto y soñoliento, se negó a la cama hasta no haber completado su lección. Por la mañana le tomó un esfuerzo supremo levantar su cuerpo cansado de la cama pero había trabajado demasiadas horas preparando sus lecciones todo el año para darse el lujo de faltar ahora. El cuadro del mar de Galilea registraba su asistencia perfecta y Desmond no iba a permitir que un lapso le costará los premios y beneficios de una asistencia perfecta anual. No. Él iba a proteger su inversión de tiempo y estudio.

Así, Desmond aprendió que la atención concienzuda al deber debía ser una forma de vivir. En la escuela del Ejército, durante las clases de tarde en días calurosos después de sus rigurosos ejercicios militares y una merienda pesada, intentaban en vano seguir la voz monótona del instructor explicando cómo purificar agua, cómo prevenir enfermedad, cómo preparar una camilla adecuada, y demás. Invariablemente los hombres se cabeceaban. Todos excepto, Desmond, quien se mantenía siempre despierto y absorto, hora tras hora. Era su forma de vivir.

Es difícil creer que un hombre con tales costumbres, que era ahora un soldado atento en la escuela de médicos militares, no se ganara el respeto y la admiración de sus oficiales y sus compañeros reclutas. En lugar de eso, Desmond era considerado un bicho raro, un dolor de cabeza, un elemento perturbador a sus oficiales, hasta en la misma sede del regimiento.

¿Por qué lo hostigaban cuando el solo hacía todo lo posible por ser un soldado ejemplar? ¿Un cooperador en lugar de objetor de conciencia en todo lo que su religión no prohibía?

Había algunas razones. El prejuicio en contra de objetores de conciencia prevalecía. Y aunque a Desmond no le gustaba admitirlo, podía ver porqué. Aparte de él, había otros tres objetores en su División. Desmond no los podía tolerar. Estaba más que dispuesto a servir a su país en la capacidad de no combatiente, pero los otros tres no querían nada con la vida militar. Su única intención era evitar todo trabajo. Uno de ellos, cuyos dientes estaban negros con el tabaco de mascar, era completamente repulsivo. Finalmente llegó el día en que los tres dejaron de estar en la División. Todo mundo estaba agradecido por ello; pero desafortunadamente Desmond sufría prejuicio por asociación.

"Ustedes son todos iguales", dijo uno de sus argentos, "quieren libertad religiosa pero cuando el país los necesita para proteger esa libertad, ustedes no quieren nada".

"Es ahí donde usted se equivoca, Sargento", le respondió Desmond. "En mi iglesia aprendemos a obedecer la autoridad gubernamental como lo enseña la Biblia. Nunca me verá faltándole homenaje a la bandera o haciendo a un lado el deber. Amo mi patria y estoy dispuesto a demostrarlo con hechos".

En ocasiones, cuando la infantería salía al campo de tiro para pasar el día en los entrenamientos de tiro, Desmond salía con ellos, más por supuesto él no participaba. Los fusileros practicaban duro en la línea de tiro, destellando ronda tras ronda hasta que sus oídos timbraban y les dolían sus hombros. Los hombres veían a su medico haciendo nada, y naturalmente, lo resentían.

Pero la razón principal del desprecio de Desmond era su insistencia en observar el cuarto mandamiento.

"*Acuérdate del día de reposo, para santificarlo*", el Señor había dicho a Moisés unos 3,500 años antes, y como hemos visto, Desmond obedecía la Palabra de Dios a como él la entendía. Aquellas palabras se aplicaban a la raza humana en general y a él en particular. Nadie, ni el comandante del Batallón del regimiento ni de la división, ni el presidente de los Estados Unidos, podía forzar a Desmond Doss a desobedecer un mandamiento dado a él por la Palabra de Dios. La única excepción al cuarto mandamiento era la palabra de Jesús: la Biblia cuenta que Jesús sanaba a los enfermos el día de sábado. siguiendo ese ejemplo, Desmond también estaba más que dispuesto en el día sábado por ayudar a sanar a los enfermos, y en combate, a los heridos.

Sin embargo, situados en Carolina del Sur, a varios miles de kilómetros del frente de batalla, los enfermos eran llevados al hospital. Heridos no había. En tales condiciones, Desmond no veía razón de desobedecer la orden divina de respetar el cuarto mandamiento.

Lo que complicaba la vida en la 77ª División era el hecho de que Desmond, como Adventista del Séptimo Día, no observaba el domingo, primer día de la semana, sino el sábado, séptimo día. *"Seis días trabajarás y harás toda tu obra más el séptimo día es el sábado del Señor tu Dios. No hagas en el obra alguna".* Desde su primera y más remota memoria, Desmond siempre había seguido estas palabras.

Por supuesto, la 77ª División, así como el resto de las fuerzas armadas, reconocía el domingo como día de descanso y día de adoración. Prácticamente toda actividad en Fort Jackson terminaba el sábado por la tarde y no reanudaba hasta el amanecer del día lunes. El campamento disfrutaba de los servicios de un capellán con servicios para católicos y protestantes, y cada unidad tenía su propio capellán que podía celebrar servicios especializados ahí mismo. Toda maniobra militar se programaba para terminar antes del domingo. En ocasión, cuando las maniobras continuaban a través del fin de semana, se hacía provisión para servicios religiosos el domingo en el campo de maniobras.

Como guardador del séptimo día en un ejercito que guardaba el domingo, Desmond se hallaba doblemente fuera de sintonía. Primero, porque su fe le prohibía trabajar entre la puesta del sol del viernes a la puesta de sol de sábado. Eso requería que Doss se asegurara una ausencia autorizada durante ese período, semana tras semana. Y segundo, porque ningún capellán ofrecía servicios el sábado, Doss se veía forzado a peticionar a su comandante por permiso para salir al pueblo y asistir a la iglesia. Los servicios típicamente consistían de servicios de sábado de mañana y una reunión de jóvenes el sábado por la tarde.

Pronto se hizo evidente que sobre el conflicto del sábado entre el Ejercito de los Estados Unidos y el soldado de primera, Desmond T. Doss, uno de ambos partidos tendría que ceder, y Desmond no tenía la mas mínima disposición de hacerlo. Su primer altercado en torno al asunto ocurrió en su segundo día en el Ejercito. Fue admitido al Ejercito un día viernes. El sábado, el sargento ordenó que se limpiara el piso del cuartel para una inspección esa misma tarde. Desmond se negó a participar. Había entrado al Ejercito preparado para realizar tareas necesarias en el día sábado, ya que creía que así Cristo lo había hecho. Mas limpiar el piso no era, a su parecer, un deber necesario. Un piso se puede fregar cualquier día de la semana. Y con toda seguridad el sargento no iba a ordenar a sus hombres a limpiarlo el próximo día, domingo.

El sargento llamó al teniente. El teniente tampoco pudo contra el determinado guardador del sábado, y en un estallido emocional le ordenó salir del cuartel. Doss obedeció, pero un mayor apareció y le ordenó entrar de nuevo al cuartel. Pasó el primero sábado en el Ejercito acurrucado en un rincón del cuartel, mientras los demás, atareados con la tarea de limpiar el piso, inventaban injurias para insultar a Doss.

Lo mismo ocurrió cuando se unió a la 77ª División. El primer viernes consultó al capellán por una ausencia autorizada para salir a la iglesia en Columbia. El Capitán Stanley, capellán, le hizo ver que según el reglamento, no podía otorgarle a nadie una ausencia autorizada las primeras dos semanas en el Ejército, sin importar la razón.

"Estoy convencido que Dios hará de manera que yo pueda asistir a la iglesia", dijo Doss al capellán.

El Capitán Stanley solo suspiró. Conocía la determinación de los Adventistas, y dijo: "Veré qué puedo hacer en el cuartel general de la División". Doss recibió su permiso esa misma tarde.

La siguiente semana Desmond fue transferido de la compañía de fusileros al batallón médico. Se presentó ante el oficial comandante, el Mayor, Fred Steinman,[2] pidiéndole una autorización para salir a la iglesia el sábado. El mayor se preocupaba por la preparación de todo el batallón. Dio a Desmond autorización, mas al ver a Desmond volver semana tras semana con la misma petición, el oficial se molestó. "Esta será la última", le dijo un viernes. "No vuelvas a pedirme otra".

Desmond supo que el mayor hablaba en serio. Solicitó a los feligreses el próximo día que oraran por él. El próximo viernes buscó nuevamente una autorización. El mayor explotó y le dijo que se fuera. Desmond fue a buscar al Capitán Stanley. El capellán consultó en el cuartel general de la División y se llegó a la decisión que el soldado adventista recibiría sus sábados libres al igual que los demás recibían sus domingos. Desmond había ganado. Solo que en el Ejército nunca es sabio cuando un privado prevalece contra un mayor.

En realidad, Desmond nunca recibió más privilegios que los demás. A cambio de sus sábados, cumplía con deberes especiales cada domingo, todo el día. Pero los otros hombres no estaban presentes para verlo en sus tareas ese día y por lo tanto no dejaron de guardar resentimientos. "Tú recibes mas autorizaciones que el mismo general".

La reacción entre los soldados de infantería fue especialmente amarga. Desmond era diferente a ellos en costumbre y manera de hablar, no participaba en las actividades en el campo de tiro, y ahora veían lo que consideraban un privilegio especial. La noticia del soldado extraño se extendió por todo el regimiento. Un día Desmond se encontró con Karger, el duro y cínico soldado de edad de la Compañía D que tanto se había deleitado en atormentarlo.

"Te crees un santurrón, Doss", le intimó Karger, añadiéndole unas cuantas palabrotas. "Sabes, cuando entremos en combate te voy a balacear como si fueras un perro".

---

2    Un seudónimo.

No es fácil vivir con hombres que sienten solo despecho por uno, especialmente cuando toda la misión de uno es prepararse para llevar el cuidado de esos mismos hombres. Fue un período largo y frustrante para el Soldado Doss.

En tales momentos un hombre no busca a su madre, ni a su ministro, ni al capellán. No. Un hombre le cuenta sus penas a su mujer.

La chica de Desmond era bonita, rubia, seria, y como él, una Adventista del Séptimo Día dedicada. Su nombre era Dorothy Schutte, y era de Richmond, Virginia. Ella era una de siete hijos de un veterano discapacitado de la Primera Guerra Mundial, y la familia apenas sobrevivía en base a su pensión militar. Dorothy se había propuesto hacer algo de sí misma. Y se dio cuenta que lo primero que debía conseguir, era una educación. Hacerlo requeriría dinero. Estando aun en la escuela secundaria consiguió trabajo como colportora, yendo de casa en casa en la venta de libros Adventistas. Desmond la conoció por primera vez cuando pasaba por Lynchburg. Él y su familia le extendieron una dosis generosa de hospitalidad sureña, y un añadido más de hospitalidad adventista. Un sábado de tarde la llevaron a pasear en coche.

Ese otoño Dorothy asistió a Washington Missionary College en Washington, D.C. Ella se ganaba su dinero como empleada doméstica en la casa de una familia de Washington. Su trabajo le impedía llevar un horario académico completo, pero ella no se quejaba. Iba rumbo a su destino.

Los adventistas son un grupo cohesivo, como una gran familia extendida, y por lo tanto era perfectamente natural que Desmond oyera una y otra vez contar de esa ambiciosa joven determinada a ejercer una disciplina académica. Era la clase de chica que él quería conocer mejor.

Desmond nunca había tenido novia. Como los demás jóvenes, había socializado con grupos de jóvenes adventistas, pero nunca se había interesado en una chica. Había tomado la decisión de guardarse su amor y su afecto para la chica con la que un día se casaría. No fue sino hasta sus veintidós años que tuvo el valor para pedir salir con una chica. Para aquel entonces trabajaba en un astillero en Newport News, Virginia, donde ganaba un dólar por hora; se había comprado un carro usado; era rico. Un sábado de mañana manejó las 320 kilómetros a Washington para ver a Dorothy Schutte.

Cuando Desmond llegó, la juventud estaba por a entrar en Columbia Hall, la capilla de la universidad, para los servicios de sábado de mañana. Desmond buscó a Dorothy, pero no la halló. Finalmente, al comenzar el servicio, entró a la capilla y se sentó. ¡Maravilla de maravillas! Allí, sentada en la banca justo en frente de él, estaba Dorothy. Se inclinó hacia delante y le susurró un suave, Hola. Mas ella le hizo callar con un chitón sin siquiera darse media vuelta. Había conducido su coche más de 300 kilómetros por un, ¡Cállate!

Después del servicio, la congregación deambuló en grupitos, absortos en plática. Dorothy platicaba con una joven pareja de casados amigos suyos. Desmond se acercó a ellos justo cuando la invitaban a almorzar en su casa.

"Ella almorzará conmigo", espetó Desmond.

Dorothy le lanzó una mirada seria, mas no lo corrigió. Almorzaron juntos, y pasaron la tarde, y cenaron también.

Desmond era bien conocido como uno de los jóvenes líderes laicos de la iglesia. Él y Dorothy tenían varios intereses en común, y un gran número de amigos en común, y la conversación nunca menguó. Había sido la intención de Desmond volver a Newport News esa misma tarde, pero le dio poca importancia a ese pensamiento. La había encontrado. Se quedó una noche y pasó todo el domingo, también, hasta que llegó la hora en que ella tenía que entregarse a sus estudios. Por una sola vez Desmond se apartó de su propia escrupulosidad. Dorothy le informó que estaría feliz de verlo de nuevo, y Desmond regreso cantando todo el camino de vuelta a Newport News.

Desde ese entonces, Desmond viajaba a Washington un fin de semana sí y el otro no. Varios encuentros más tarde, él y Dorothy salieron juntos con otra pareja adventista. Al estar Desmond y Dorothy en el asiento trasero, y pasando por Rock Creek Park, Desmond le dio un beso a Dorothy. Tuvo suerte de que no le cortó la cabeza, porque se puso furiosa. Su cara se tornó un rojo encendido. Nunca antes la había besado un hombre. Al igual que Desmond, se estaba guardando para el hombre con el que se casaría.

Desmond vio la expresión en su rostro y le susurró: "Te amo". Era la primera vez que decía esas palabras. Armonizaron por lo del beso, pues, confesó Dorothy, ella también sentía amor por él.

Pero Desmond no estaba en condiciones de proponerle matrimonio. Habían tratado el tema de matrimonios en tiempo de guerra, y ambos se oponían. Además, Desmond sabía que en cualquier momento podía llegar su llamado. Cuando finalmente llegó el aviso de la comisión de reclutamiento, hizo su última visita a Washington a verla.

En solemnidad, le preguntó: "¿Estás dispuesta a esperarme?"

"Sí. Estoy", respondió ella. Fueron las palabras más dulces que Desmond jamás había oído.

Pasaron el resto de esa última visita, su última en condición de varón civil, platicando sobre la vida que llevarían después de la guerra. Sus sueños eran muy similares. Ninguno de los dos buscaba una gran mansión, ni riquezas materiales. Ambos estarían satisfechos con la casa más humilde, siempre y cuando se tratara de un hogar cristiano. Resolvieron celebrar culto familiar cada mañana y cada tarde. Ambos querían un montón de niños, para amar y criar en la fe cristiana.

Se despidieron entre lágrimas, pero con valor. Ambos seguros de que estaban haciendo lo correcto.

Con el paso de semanas solitarias en Fort Jackson, Desmond sentía que su miseria crecía. Y las cartas de Dorothy se hacían más y más importantes. Lo alentaban a continuar. El amor de Dorothy por él era su único consuelo en una existencia estática, sin amistades. Él le pidió que viniera a visitarlo en Columbia un fin de semana, y así lo hizo, hospedándose en casa de una familia adventista que había conocido. Juntos pasaron un día de reposo cálido y feliz. Solo que el momento de partida no fue tan fácil.

El fin de semana del cuatro de julio, Desmond tomó el largo viaje en autobús a Richmond para darle una sorpresa a Dorothy. Cuando llegó, se enteró de que ella había ido a Columbia para darle una sorpresa a él. Si se devolvía, Desmond previó que, sin verse y sin poder comunicarse, podrían seguir cruzándose caminos un par de días, por lo cual decidió quedarse donde estaba. Por su parte, Dorothy, sabiendo que Desmond estaba ya en Richmond, tomó el siguiente tren de regreso. Pasaron dos días felices juntos.

Con el paso del tiempo Dorothy y Desmond se dieron cuenta de que no querían esperar hasta después de la guerra. Ambos fueron y expusieron su problema a sus ministros, quienes les aconsejaron hacer lo que mejor les pareciera. Esa fue la respuesta acertada, pues sentían que era mejor vivir juntos, como marido y mujer, cada minuto que fuese posible. Dorothy y su madre iniciaron los arreglos para una boda de iglesia.

Pero los comandantes de Desmond no tenían la más mínima intención de permitirle a su privado adventista ir a casarse. Nadie le ofrecía una respuesta definitiva a su solicitud de un permiso. En su desesperación, Desmond pasó por encima del comandante del batallón, al ayudante del regimiento. Esperaba, cuando repentinamente entró el comandante del regimiento, el coronel William H. Craig, las águilas de plata de su rango relucientes. Era el oficial de más alto rango que Desmond jamás había visto, y el más formidable.

"¿Hay algo que pueda hacer por ti, soldado?", preguntó el coronel.

"Si alguno puede, eres tú—dijo Desmond, añadiendo sin pausa—Señor, ¡me quiero casar"!

El coronel escuchó el ruego de Desmond y vio que hablaba en serio. Cogió el teléfono y llamó al batallón médico.

El coronel irrumpió como en bramido: "¿Qué detiene que este hombre se case? Cuando un hombre decide casarse, ¡hay que dejarlo!" Desmond recibió su permiso. Él y Dorothy se casaron en una tranquila ceremonia en la iglesia de Dorothy. Ella regresó con él a Fort Jackson. El solo saber que ella estaba tan cerca hizo su servicio militar mucho más fácil de soportar.

# CAPÍTULO 2

## "...PARA QUE PODÁIS SOPORTAR"

La alarma o toque de diana sonó con fuerza estridente un martes de mañana a finales de verano. "¡Vamos!,—rugían los sargentos—salgan de las cobijas. ¡Se llegó el día!"

"No se nos ponga muy duro, sarge", gritó uno de los hombres.

Habían sabido que el día estaba cerca. Y ahora se había llegado. La compañía emprendería su primera larga marcha inmediatamente después del almuerzo. Cuarenta kilómetros, con todo el equipo de campo y sus rifles. La marcha duraría ocho horas; equivalente a casi cinco kilómetros por hora. El día en que los valientes resaltarían ante los menos valientes.

"Vean, aquí viene el ministro", gritó uno de los fusileros al ver a Doss tomar su posición con el Segundo Pelotón. "¿Qué? ¿No hubo permiso para salir a la iglesia?"

"No llores por él", gritó otro. "Sin rifle, sin municiones, su marcha será pura miel".

El médico sonrió en silencio, pero no se molestó en responder. Los juegos de primeros auxilios en bolsas de lona que llevaba pesaban casi lo mismo que un rifle y eran mucho más incómodos. Desmond presentía que les iba a dar bastante uso antes de terminar el día.

Para Desmond, esto eso sería más que una prueba de aguante físico. Sería su primera operación de campo con los hombres con los que iba a ir al combate. Ya había sido oficialmente designado como soldado de socorro de la compañía, uno de tres soldados médicos asignados a cada compañía de infantería.

En términos administrativos, Desmond estaba bajo la dirección del batallón médico del 307° Regimiento. Pero vería combate con los fusileros y los soldados de infantería del 2ndo Pelotón, de la Compañía B, 1er Batallón, 307ª Infantería, de treinta y ocho hombres y un oficial. Ellos constituirían su responsabilidad médica. Era responsabilidad de Desmond auxiliarlos, aun al costo de su propia vida, siempre que fuese necesario. Era de esperarse que él y los varones del 2ndo Pelotón disfrutaran de una relación estrecha y recíproca, pero en esos primeros días, la situación era todo lo contrario.

Como en el caso de la primera compañía, los hombres de la Compañía B eran en su mayoría neoyorquinos; y casi todos eran del Norte. Eran hombres de más edad y corpulentos, hombres para quienes las malas palabras eran de la vida diaria. Eran hombres que nunca habían conocido a nadie como el joven sureño de voz suave que nunca se separaba de su Biblia. Lo llamaban "el predicador". Insistían en burlarse de Desmond, preguntándose si realmente era casado, y les gustaba invocar el nombre de Dorothy en sus bromas pesadas del sexo opuesto. Todo esto ofendía a Desmond profundamente. Amaba tiernamente a Dorothy y sabía que era una mujer cristiana de altos ideales. Su matrimonio era, en su posición, una bendición de Dios.

Los dos agentes de la Compañía B con quienes Doss tenía contacto eran el Capitán Frank L. Vernon, el comandante de la compañía, y el Teniente Cecil L. Gornto, Jefe del 2ndo Pelotón. El capitán Vernon, un hombre limpio y justo de Carolina del Sur, que se entregaba de todo corazón a cada tarea y esperaba lo mismo de sus hombres, no tenía tiempo para hombres de primero auxilios, a quienes el consideraba como hombres reemplazables. El Teniente Gornto, originario del estado de Florida y un hombre con elegancia de palabra, estaba demasiado ocupado elevando el nivel de su pelotón a las exigencias del Capitán Vernon, su oficial comandante, como para preocuparse por un insignificante médico.

El sargento primero llamó la atención de la compañía y le cedió la palabra al Capitán Vernon, quien luego se dirigió a la multitud en voz de mando y llena de determinación: "Muy bien, hombres. Por varias semanas hemos entrenado para este momento. ¡Espero que todos estén preparados para dar el todo y terminar esta caminata de pie! Jefes de pelotón, tomen el mando de sus pelotones".

El Teniente Gornto, como cabeza del 2ndo Pelotón, giró la mano hacia su casco en un enérgico saludo. El Capitán Vernon enunció las órdenes en son de canción de marcha, los líderes de pelotón le hicieron eco, y la Compañía B salió del campamento, marcando cadencia a una sola voz.

Aun temprano en la mañana, el sol de verano de Carolina del Sur era cálido. Y el aire estaba impregnado de humedad. Para cuando la compañía había cruzado la primera de las pequeñas colinas de arena, sus uniformes verdes de algodón ya iban manchados de sudor. El pleno calor del día estaba por delante y aun quedaban treinta y ocho kilómetros por delante.

Al mediodía los rayos de calor bajaban del cielo azul como un horno a la parrilla. Algunos hombres ya se habían bebido su cantimplora de agua, y no había más. Tambaleaban como zombis, sus párpados retraídos en un rojo vivo, cada uno rodeado de un mar de jadeantes rostros sudorosos. De pronto un hombre se desplomó de rodillas y cayó postrado. Doss corrió a auxiliarlo. Era un hombre de unos cuarenta años. Tenía la piel fría y húmeda, con un pulso filiforme. Se trataba de un caso de golpe de calor.

Desmond le ayudó lo suficiente como para entregarlo a la ambulancia que seguía detrás de la compañía. Luego zarpó para alcanzar a la compañía.

El Capitán Vernon, tan lleno de vigor y valor como cuando había comenzado, se puso furioso con el soldado desplomado, y con Doss por no lograr reponerlo al instante.

En pleno mediodía tomaron un almuerzo de raciones de combate. Desmond apenas probaba bocado cuando un soldado, rendido debajo de un árbol pequeño, lo llamó. El hombre se había quitado su zapato y examinaba una gran ampolla brotada en el área del talón.

"¿Puedes aliviar esto?"

"Haré todo lo posible", respondió Desmond. Pinchó la ampolla con una aguja estéril, la bañó en Merthiolate, y la cubrió con un apósito de gasa bien ajustado. Aun no terminaba cuando otro soldado lo llamó. Luego otro, y otro, todos con la misma dolencia. Mientras que los hombres de la Compañía B descansaban tendidos sobre sus espaldas, Doss estaba más que ocupado dando tratamiento a decenas de pies. En casos graves ingeniaba una almohadilla en forma de rosca para aliviar la presión.

Parecía que habían estado descansando solo unos cuantos segundos cuando el sargento hizo sonar su silbato. "¡Fórmense!", gritó. "Es una larga caminata de regreso".

El dolor de pies cansados y un sinnúmero de ampollas mantuvieron a Desmond ocupado todo el camino de vuelta. Auxiliaba a un soldado lo mejor que podía, y luego daba carrera para alcanzar a su pelotón. Algunos de los hombres que auxilió ni siquiera eran de su compañía, mucho menos su pelotón, pero se habían visto necesitados. A pesar de las frenéticas carreras que había dado para mantenerse al tanto con su pelotón, sus bolsas de primeros auxilios aleteando a sus lados, Desmond terminó la marcha al paso con el resto del pelotón. Al llegar al campamento, el pelotón a punto de ser despedido, de repente tres hombres se desplomaron, completamente fuera de sí. Desmond corrió a auxiliarlos. Para cuando terminó, los demás soldados descansaban exhaustos en sus literas, con montones de zapatos en el suelo. Desmond no tuvo oportunidad ni de sentarse. Revisó a cada uno de los hombres para asegurarse que no ocupaban de su ayuda. Al amanecer de ese día, algunos de los hombres se habían burlado de Desmond, llamándolo predicador, y toda clase de mofas y bromas burlonas. Ahora, postrados y agotados, veían con nuevos ojos al médico endeble arrodillado al pie de sus literas, auxiliando sus magullados pies.

Esa noche, en aquel cuartel, murieron las burlas dirigidas a Desmond Doss. Había comprobado su valor, había comprobado ser parte imprescindible de la Compañía B.

Al desenvolverse la serie de entrenamientos, también se desarrollaba la amistad entre los tres soldados de socorro. Uno de ellos, Clarence C. Glenn, Jr., era un joven de cara redonda como el sol y con una sonrisa abierta que revelaba un empaste de oro en uno de sus dientes frontales. El otro era James A. Dorris, un tipo simpático pero más serio que Clarence. Tanto Clarence Glenn como James Dorris eran casados, y cuando Dorothy llegó a Columbia para estar al lado de Desmond, las tres parejas a menudo se visitaban entre sí.

Clarence Glenn era el primer creyente Católico que Desmond había conocido, y Desmond era el primer Adventista del Séptimo Día que Glenn había visto en toda su vida. Aunque algunos de los comentarios de sus pláticas habrían espantado a un teólogo profesional, ambos pasaban muchas horas agradables juntos, comparando sus creencias.

"Es que no veo por qué hacen tanto alboroto acerca del sábado y el domingo", dijo Glenn. "Claro, sé lo que dice el mandamiento, pero si prácticamente todo mundo asiste a la iglesia el domingo en lugar del sábado, tiene que haber alguna buena razón".

"Hay una razón, pero no es una buena razón", contestó Desmond. "Su origen se remonta al siglo IV y un tipo llamado Constantino, emperador romano, y cristiano. Porque la mayoría de los sujetos romanos esos días eran paganos, adoradores del sol, observadores del día del sol, o domingo, Constantino dio con la gran idea de hacer del domingo un día de fiesta cristiano, y así atraer a toda esa gente pagana. Si no podía vencerlos, haría liga con ellos".

"¿Y qué fue del sábado?", preguntó Glenn.

"Él lo guardaba", respondió Desmond.

"Entonces, cabe decir que fue quien inventó la semana de cinco días", dijo Glenn, con una muestra de triunfo.

"Bueno, sí", respondió Desmond, pero no sonrió. No le gustaba bromear acerca de la religión. "En todo caso, observaban ambos días. Por muchos siglos el sábado era día solemne, pero gradualmente el pueblo comenzó a observar el domingo, hasta que finalmente la única gente que guardaba el sábado eran los judíos, que lo habían estado guardando desde las antigüedades".

Como es de costumbre en las fuerzas armadas, en la 77ª División todo mundo era llamado por su apellido. Glenn interrumpió: "Mira, Doss, otra cosa. ¿Acaso no les es difícil mantener el empleo? Supongamos que un supervisor exige trabajo los sábados".

"Por supuesto, es problemático. Pero por suerte el Señor se hace cargo de esas cosas". Desmond hizo una pausa. Cómo contarle a su amigo de sus pruebas personales como guardador del sábado?

Desde el principio, su experiencia personal había sido una de amor e inspiración recibida de su madre. Sus más preciadas memorias eran estar acurrucado sobre las piernas de su madre mientras ella le relataba historias de la Biblia.

Su madre se había criado en un hogar adventista, mas no así su padre. Él fumaba tabaco, y en ocasiones, se embriagaba. Aprobaba de la religión de su esposa y le veía mucho mérito, pero nunca se había decidido por unirse a la iglesia. En una ocasión durante los 1920s, el Sr. Tom Doss le pidió a su capataz, un constructor independiente, que si, en caso de que Doss aceptara la fe adventista del séptimo día, podría verse libre de trabajar los sábados y retener su trabajo. El capataz dijo que no, y por algún tiempo ahí quedaron las cosas.

Luego llegó la Gran Depresión de los 30s, y toda construcción en Lynchburg llegó a su fin. El Sr. Doss no podía hallar trabajo ni para un solo día de la semana. La Sra. Doss trabajaba en una fábrica de zapatos, y los niños contribuían haciendo cualquier cosa para ganarse algunos centavos.

Ella y sus tres hijos continuaron asistiendo a la iglesia el sábado y el Sr. Doss asistía con ellos cuando podía. Un sábado asistieron a una pequeña iglesia cerca de Lynchburg cuyo pastor era un ministro llamado Lester Coon. Era un hombre que hablaba con sinceridad sin preguntarse si los miembros de la congregación aprobaban o no.

Ese sábado predicó un sermón que sacudió al Sr. Doss. Casi mirándolo directamente a los ojos, el ministro dijo: "A mi parecer, cualquier hombre que no tiene las agallas para vivir por sus convicciones tiene toda la firmeza de un espagueti". Desmond notó que su padre se entiesó como un palo. Por muchos años había respaldado a su esposa y sus hijos por su religión; aparentemente le parecía bien. Pero nunca se había decidido a aceptarla para sí mismo.

El Sr. Tomás Doss se unió a la iglesia. Dejó de tomar y dejó de fumar. Y casi de inmediato se enfrentó a otra prueba. Había pasado semanas sin trabajar. Un miércoles el capataz le pidió una remodelación que duraría aproximadamente dos días. Comenzó el jueves pero para el viernes en la tarde todavía quedaban unas cuantas horas para terminar. El Sr. Doss le dijo sin titubeos a su capataz que no podría terminar el trabajo el día sábado. Tendrían que esperar hasta el lunes. Le informó que ni siquiera volvería el sábado para recoger su sueldo. Luego esperó en silencio. ¿Se negaría a pagarle el capataz por el trabajo ya hecho?

"No te apures, Tomás. Termina el lunes. Tu sueldo estará esperándote". Desde ese entonces Tomás fue un adventista devoto y un dedicado guardador del sábado. Y de ahí en adelante, de lunes a viernes, nunca le faltó el empleo. Fue un punto de inflexión para la familia. Añadió Desmond: "Tú ves, pues, que Dios arregló las cosas a Su tiempo, y desde entonces todo ha marchado bien".

"Pero de todas maneras haces muchas cosas que yo no quisiera hacer", dijo Glenn. "En verdad, te haces la vida difícil. Le das 10% de tu sueldo a tu iglesia. Nunca fumarías o beberías, aun si tu vida dependiera de ello. Ni siquiera comes carne de cerdo!"

"Todo está escrito en la Biblia, tanto la tuya como la mía", dijo Doss. "El puerco es un animal inmundo, como lo es el marisco. Y yo no sé a qué saben porque nunca los he probado, para mí, no es ningún problema".

"Cierto, pero la Biblia no dice ni una sola palabra sobre los cigarrillos o el Borbón".

"De acuerdo, mas en su primera carta a los Corintios, Pablo dijo: 'vosotros sois templo de Dios'. Ahí te lo dice todo, que el cuerpo es el templo de Dios, y no mancillamos el templo con nicotina ni alcohol ni café ni te. Y no creo que me esté perdiendo gran cosa. Antes, de niño, fumaba cigarrillos de maíz, y en ocasión una colilla de cigarrillo, pero ambos me daban tos. Una vez tome jarabe para la tos, pero el alcohol me puso tan atarantado que no me podía poner de pie. Una sola vez fue suficiente.

Desmond se tomó una pausa. ¿Cómo explicarle a su amigo despreocupado que aun si la abstinencia parecía difícil, los atributos del adventismo hacían de tales sacrificios algo menor?

Desmond no se consideraba un aguafiestas. Los adventistas son un grupo feliz. Tienen un blanco, un objetivo alcanzable, con una recompensa tan grande que la imaginación ni siquiera puede imaginarlo, pues el adventista toma las palabras de Cristo en forma literal. En el capítulo 24 de Mateo, versículo 14, dice: "Y este evangelio del reino se predicará en todo el mundo como testimonio a todas las naciones, y entonces vendrá el fin".

Interpretan estas frases de manera que cuando todos hayan oído de la venida de Cristo, entonces Él vendrá otra vez. El mundo terminará, y los fieles, quienes han vivido vidas cristianas y han facilitado la predicación del evangelio, vivirán en el cielo una felicidad absoluta. El adventista tiene la esperanza inigualable de una seguridad completa por toda la eternidad.

Doss preguntó a su colega: "¿Acaso no vale eso el sacrificio de un cigarrillo o una bebida de licor, o un coctel de camarón?" Glenn dirigió a Doss su sonrisa de oro, le dio un puñetazo suave al lado del brazo, y sugirió que se fueran a almorzar.

De tales pláticas resultó una mayor comprensión mutua. Otro beneficio, que fue de gran beneficio a los hombres de la compañía B, fue el arreglo en el cual Glenn trabajaba los sábados por Doss para que Doss pudiera ir a la iglesia y Doss trabajaba los domingos para que Glenn pudiese asistir a misa.

En lugar de un médico ambivalente, los hombres de la compañía ahora disfrutaban de un colega médico todos los días de la semana. Llego a ser parte del espíritu de equipo de la compañía. Pronto los soldados dejaron de ir a la enfermería del batallón con sus dolencias menores, prefiriendo quedarse con sus amigos, en la confianza de sus tres médicos colegas, que los cuidaban allí mismo en el área de la compañía.

Para entonces la división empezaba a funcionar como un equipo. Se estaba convirtiendo en una unidad militar con espíritu de combate y un resurgente orgullo varonil. Después la compañía fue enviada a un entrenamiento adicional, a maniobras especiales en Luisiana para condiciones de combate simuladas, luego a Arizona para entrenamiento en el desierto, y finalmente a Pensilvania y a Virginia del Oeste para entrenamiento en terrenos montañosos.

Dorothy seguía a Desmond siempre que podía. En Luisiana el único lugar que pudo alquilar era un cuarto indeseable en una granja dilapidada. Ahí vivía la esposa de otro soldado. Cuando sus esposos podían estar, las dos parejas dividían el cuarto con una cobija colgada en medio.

Un sábado la división se hallaba a cuarenta kilómetros de Shreverport, el poblado más cercano. Desmond consiguió un aventón a la iglesia con un campesino local en una camioneta Ford, pero después de la iglesia no hallaba como devolverse. La Policía Militar lo recogió y lo alojó esa noche junto con un grupo de borrachos y maleantes. Por la mañana un camión del regimiento lo recogió de la cárcel militar y Desmond se vio obligado a explicarle al oficial comandante que su única falla había sido ir a la iglesia el día previo.

A estas alturas el Mayor Steinman, comandante del batallón médico, se había enfurecido tanto sobre la cuestión del sábado que se negaba a darle a Desmond autorización para ir a la iglesia. También le negó permiso de pedir autorización en el futuro, y se rehusaba a permitirle acudir a una autoridad superior a sí mismo.

"Si me provocas en lo más mínimo, Doss, te enviaré a la corte marcial".

Desmond entendió que el hombre hablaba en serio. La más mínima provocación y estaría en problemas. Esa semana no asistió a la iglesia. Dorothy se alojaba en la granja cercana y ambos salieron a una pastura de vacas y ahí celebraron su servicio de iglesia.

Aunque Desmond se había ganado el respeto de los hombres de la Compañía B, continuaba teniendo dificultades con los oficiales del batallón médico. Aun los oficiales del regimiento y de la división se inmiscuyeron en el asunto. Durante un ejercicio de campo importante en el cual se involucraban varias divisiones, Desmond pidió permiso para asistir a la iglesia el sábado. En forma inmediata se le mandó presentarse a un cruce de caminos polvorientos en el área de maniobras. Allí lo esperaban dos coroneles, un coronel teniente, y un mayor, en un carro de comando. Todos esperaban a ese solitario soldado que sólo pedía permiso para asistir a la iglesia

El Coronel Teniente Tomás B. Manuel, oficial ejecutivo del regimiento, dirigió la discusión. Respetuosamente, Desmond les expresó cuanto lamentaba el que tan importantes oficiales tuvieran que hacer tiempo para tratar el asunto de la fe con un privado, pero él se mantendría inconmovible: no iba a jugar a la guerra el día sábado.

"Tú mismo has dicho que puedes cuidar de los enfermos y heridos en el día sábado", le dijo el coronel.

"Correcto Señor, me es permitido hacer el bien en sábado y dar auxilio médico a cualquier necesitado. Pero la verdad es que hemos hecho este ejercicio cuatro veces, y nadie ha resultado herido.

Al final, los oficiales cedieron y Doss pudo asistir a la iglesia con su esposa.

Consiguió transporte en una ambulancia, que lo llevó hasta el campamento. Con la excepción de los guardias, estaba desierta. El cuartel de Doss estaba cerrado con llave, con la excepción de una ventana justo encima de su litera. Doss lo vio como una intervención directa de Dios, pues seguramente Él no querría ver a Doss en la iglesia desaliñado y en un uniforme sucio. Desmond de inmediato llevó a cabo la voluntad de Dios consiguiendo una escalera de incendio y trepándose por la ventana abierta.

Justo en ese instante apareció el guardia. Desmond le explicó la situación desde la ventana.

"¿Vas a ocupar esa escalera para salir de nuevo?"

"No creo", dijo Desmond.

"Entonces voy a guardarla no sea que alguien la vea y nos veamos en problemas", dijo el guardia. "Apúrate, vístete y aléjate del campamento".

Esta tarde Desmond asistió a la reunión recién bañado, afeitado, y vestido con un uniforme recién preparado. Allí estaba Dorothy esperándolo. Juntos dieron gracias a Dios por ayudar a Desmond a guardar el sábado y asistir a la iglesia.

La división se mudó al desierto de Arizona y tras algunas semanas de maniobras instalaron su campamento en las afueras del desierto. Buckeye era el pueblo más cercano. Allí Dorothy vivía en el hogar de un doctor adventista y su esposa. Vivían en una casa con aire acondicionado, el único hogar así situado por varios kilómetros. De nuevo, Desmond logró conseguir un permiso el día sábado. Pero, ¿cómo llegar al pueblo?

No muy lejos pasaba un ferrocarril, pero algunos pasajeros soldados habían causado daños a los carros del ferrocarril y por lo tanto ya no les era permitido transportarse en el tren. La única forma de salir del campamento era por camioneta a través del desierto hacia Phoenix o Yuma, ambos a 160 kilómetros de distancia. El pueblo de Buckeye quedaba a sólo 80 kilómetros. Por eso, Desmond obtuvo permiso del cuartel general del regimiento para transportarse en el tren si el ferrocarril se lo permitía. El agente del ferrocarril estaba perfectamente dispuesto a venderle un boleto de ida y vuelta a un joven bien adiestrado que tan solo buscaba asistir a la iglesia. Así, cada viernes, mientras los otros miembros de la división con permisos se transportaban en raquíticas camionetas privadas, Desmond viajaba a altas velocidades hacia Buckeye en trenes con aire acondicionado y participaba en servicios de iglesia con Dorothy y un grupo de jóvenes.

El entrenamiento en el desierto deshizo los temperamentos de las tropas, desde el oficial más elevado hasta el soldado más sencillo. Era una experiencia cruel que afectó a toda la división. En aquel entonces el Ejército de los Estados Unidos, influido por las operaciones del desierto del norte de África, racionaba la cantidad de agua de las tropas. El agua, fluido vital, se volvía el elemento más precioso cuanto más escaseaba. Cada unidad se vio severamente limitada en la cantidad de agua que podía recibir a diario. El agua llegaba a la compañía en barriles de 50 galones en camiones abiertos. Al moverse los pesados camiones, la preciosa agua se derramaba, chapoteando sobre el suelo de arena, escapándose de los barriles del camión. Los hombres corrían tras los camiones, cogiendo el agua en sus cascos y bebiéndola con todo el barro y arena que contenía.

En largas caminatas sobre el área desértica los hombres se desplomaban de deshidratación. Y los médicos no recibían agua extra. Muchas veces Desmond y los otros médicos se veían forzados a compartir su suministro personal. Desafortunadamente, Desmond ya se hallaba severamente penalizado, pues aunque el cálculo de su consumo personal de agua incluía el café y el té, él no los podía beber.

En tales condiciones era fácil que hubiera desacuerdos por el agua. Un día los hombres de la compañía vinieron corriendo a Desmond para anunciarle que el teniente Gornto, que tenía comandancia temporal, no estaba haciendo nada por transportar el agua que ya era parte del suministro del pelotón. Era una tarea de lo más importante, pues a cierta hora cada mañana los camiones de agua circulaban para reponer el suministro de cada unidad.

Antes de poder llenar sus barriles de cocina y sus cantimploras, los hombres tenían que valerse de todo el agua contenida en los tanques de agua de la unidad. De no ser así se perdían esa agua.

"Pero el teniente solo está sentado sin hacer nada—dijeron los hombres a Doss—¡debemos recibir esa agua!"

Aunque Desmond era sólo un privado, como médico de combate recaían sobre el responsabilidades en cuanto a salud y sanidad. Investigó y se dio cuenta que los hombres tenían razón. Se sintió obligado a asirse de su valor, acercarse al teniente, e informarle de lo que debía hacer.

El teniente Gornto, que parecía estar cansado, lo recibió con gracia: "Pierde cuidado, Desmond; yo me haré cargo".

Desmond le dio un saludo militar y se fue, pero aun así nada ocurrió. Casi llegaba la hora en que los camiones habían de llegar. Desmond corrió al cuartel general del batallón médico y reportó el asunto al oficial médico. El oficial encargado era amigo de el teniente Gornto. Desmond llegó a sentir que todo el esfuerzo era un ejercicio fútil, pero de nuevo hizo lo que pudo por avanzar las cosas.

El oficial médico escucho el reporte de Desmond. Así se vio obligado a tomar acción y a regañadientes aseguró a Desmond que iba a hacer algo. Para cuando Desmond volvió al área de la compañía, Gornto había hecho que se distribuyera el agua. Fue una victoria para Desmond, y los hombres lo respetaron más por ello, el teniente nunca mencionó el asunto, pero desde ese entonces Desmond naturalmente se sentía incómodo al estar junto a él. No ayuda en la buena relación con el jefe de pelotón que un privado tenga que decirle que hacer.

Lo que Desmond no había sabido era que el teniente Gornto y su conductor, Edward J. Panek, habían pasado la mayoría de la noche buscando el camión de agua. El teniente había sabido de antemano que el agua llegaría más tarde de lo acostumbrado.

Los hombres de la 77ª División vivían en una esfera de calor opresivo. Eso resultaba en irritabilidad, malentendidos, y una falta de confianza crónica. La situación se puso tan mal que la deserción de los soldados se hizo común. Algunos hombres huyeron al desierto para nunca ser vistos más. Hasta uno de los capellanes se fugó. Fue en tal ambiente que ocurrió el próximo episodio en la lucha del Soldado Desmond contra el Ejército. Entrando al caluroso cuartel del batallón médico para recoger su permiso un viernes, notó que los comandantes, sentados en sus lujosas sillas afelpadas, se daban vistazos sospechosos el uno al otro. El sargento superior, que proyectaba toda la desaprobación que el comandante sentía por Desmond, le entregó a Desmond su permiso con una sonrisa desagradable.

"No voy a seguir otorgándote este permiso mucho tiempo más, Desmond", le anunció. Estamos haciendo arreglos para que de ahora en adelante tengas todos tus sábados libres". Desmond presintió que algo andaba mal. Acudió a uno de los oficiales del batallón para informarse.

"Tengo muy buenas noticias para ti, Soldado Desmond—le dijo el oficial—el Ejército te dará de baja. Hemos repasado tu caso y hemos llegado a la conclusión que eres elegible bajo los términos de la sección ocho. Esta mañana comparecerás ante el comité. Por el momento, vuelve a tu tienda. Ellos te mandarán llamar".

Desmond sintió que su animo se elevaba, pero de pronto descendió. Como ser humano, ya estaba hasta el copete del clima del desierto. Su nariz estaba hinchada, inflamada del polvo constante, y sus ojos estaban siempre lagrimosos. Sus oficiales lo consideraban despectivamente. Y él sentía que por más que se esmeraba, sus esfuerzos no eran apreciados debidamente. Ya era suficiente. Estaba listo para volver a casa.

Al considerar las nuevas, recordó que la sección ocho tenía que ver con falta de estabilidad mental. Y sintió que desear asistir a la iglesia el sábado no significaba que estuviera demente.

El comité de la baja del servicio militar, compuesto de cinco oficiales médicos, estaba sentado detrás de una gran mesa redonda. Los documentos estaban preparados, esperando la firma de Desmond Doss. El presidente le informó a Desmond algo que ya sabía: que estaba por ser expulsado del Ejercito. Desmond preguntó: "¿Por qué sección ocho?" Desmond era un insignificante privado dando frente a cinco doctores militares. ¿Cómo defenderse? "¿Acaso no ha sido satisfactorio mi servicio?"

El presidente respondió "Bueno, sí, has servido satisfactoriamente. Sólo que todos los demás en esta unidad trabajan siete días a la semana. Al no participar en preparación con los demás los sábados, te estás perdiendo formación importante. Podrías perderte algo tan importante que tu vida estaría en peligro y no podrías cumplir con tus deberes médicos en forma adecuada. ¿Qué si la vida de un hombre estuviera de por medio? Tu misma vida podría verse en peligro, Doss".

Desmond les informó que él y Clarence Glenn habían llegado a un acuerdo en el cual uno de ellos siempre estaba a cargo cada día de la semana, y que la Compañía B tenía las cifras más bajas de enfermos en todo el regimiento. Pero fue como si los miembros del comité estuvieran completamente sordos. Era obvio que esperaban que él aceptara la expulsión como una orden directa y sin protesta alguna. Pero una acción tal bajo tales condiciones, él no lo podía soportar.

Afirmó: "Ustedes reconocen que mi servicio es satisfactorio. Siendo así, la única validez para mi expulsión es el hecho de que guardo el sábado.

No estaría cumpliendo con mis deberes cristianos al aceptar una expulsión que implica que soy un demente en base a mi observancia religiosa. Cuando tengo el deber de auxiliar a mis colegas el sábado, siempre cumplo con buena disposición. No veo como pueda estarme perdiendo de algo importante al ausentarme los sábados. Y aun si fuese así, si mi vida se viera en peligro, estoy dispuesto a correr ese riesgo".

Desmond suspiró profundamente. Luego expiró con un suave susurro: "Señor, por favor créame. Yo sé que si guardo los Mandamientos de Dios, Él me dará sabiduría y entendimiento igual al de los que reciben formación en Su día santo".

Esa declaración por sí sola dio alto a la expulsión bajo la sección ocho. Se hizo evidente que en Washington, nunca se aprobaría una baja basada únicamente en prejuicios religiosos. Desmond salió de ahí y permaneció en el Ejército, en el árido desierto. Pero fue una victoria pírrica. Su situación empeoró. Pronto toda la división supo que los oficiales del batallón médico habían intentado aplastar a un buen soldado, echándolo del Ejército, y solo habían logrado hacer el ridículo. Esto no mejoró la popularidad de Desmond entre los oficiales de más alto nivel.

Después de este incidente, la preparación desértica llegaba a su fin. Corrió el rumor que el próximo destinatario de la división sería la reservación militar de Gap, en Pennsylvania. Se trataba de un paisaje con árboles, pasto, agua en abundancia, y ni una partícula de arena. Los hombres de la división estaban eufóricos.

Al mediodía Desmond llegó al campamento cansado pero feliz de que esto llegaba a su final. Pero no se esperaba la orden que recibió: debía reportarse al cuartel regimental de inmediato. Cuando llegó, se le informó que lo habían trasladado fuera del puesto de médico al cuartel de la compañía del regimiento. Volvería a ser parte de la infantería. A buenas o malas, sus enemigos en el batallón médico habían logrado deshacerse de él.

Confundido y desorientado, Desmond acudió a su tienda para recoger y entregar su equipo médico. Luego se reportaría a su nueva compañía. Pero le faltaba una correa. De momento comprendió que esa correa era lo único que lo separaba de la infantería, que sus problemas estaban apenas por comenzar. En su desaliento, Desmond cayó de rodillas.

"O Dios, ayúdame. Dame sabiduría para saber qué debo hacer". Al instante recordó al Capitán Stanley, quien lo había auxiliado en ocasiones previas. Ésa correa perdida le dio tiempo para visitar al capellán. Pero esta vez, el Capitán Stanley solo pudo prestarle simpatía y buenos deseos. Finalmente, dio con la correa, y sabiéndose perdido, entregó su equipo. Uno de sus amigos, T/4 March Howell, se acercó a despedirse.

March le dijo: "Sabes, Desmond, acabo de hacer una apuesta con tu nuevo comandante. Me aseguró que en 30 días portarás un arma de fuego. Yo le aposté que no".

"Tú sabes que yo no me enredo en los juegos de azar, sargento. No quiero que nadie pierda, pero no voy a portar armas".

Desmond se reportó ante su nuevo comandante, el Teniente Walter G. Cosner.[3] Se le había informado que un alborotador sería trasladado a su pelotón, y se preparó a recibirlo. Ya había asignado a Desmond a una sección de municiones, y lo esperaba la carabina que debía de portar.

*Un seudónimo.

"Soldado Doss, tome esta carabina", le ordenó el teniente.

Desmond reconoció instantáneamente el juego que el teniente intentaba jugar con él. Aunque como objetor de conciencia quedaba oficialmente sin obligación de portar armas, ningún soldado es libre de la obligación de obedecer una orden directa. El teniente intentaba forzarlo a tomar el arma o ir a corte marcial.

"Señor, lo siento, pero según mis convicciones religiosas, no me es posible portar armas".

De nuevo el teniente ordenó a Desmond que tomara el rifle, y de nuevo Desmond se negó. Formuló su respuesta de manera que no fuese desobediencia directa.

El teniente se cansó de jugar con el rifle y cogió una pistola automática de calibre .45. "Seguramente puedes tomar esto—le dijo—no es realmente un arma".

Desmond preguntó: "¿Entonces que es, señor?" El teniente intentó con un cuchillo de trinchera, luego un juego de municiones. Desmond se negó a ambas, mas siempre sin dar desobediencia directa. Finalmente el teniente dijo: "Escucha, Desmond. No te estoy pidiendo que mates a nadie. Solo te pido que recibas preparación con una de estas armas, como todos los demás". Desmond respondió: "Prefiero poner mi fe en el Señor que confiar en una carabina".

El teniente se acercó hacia Desmond. "Eres hombre casado. Supongamos que alguien estuviera violando a tu esposa. ¿No usarías pistola?"

"No tendría pistola".

"Entonces, ¿qué harías?"

"No me quedaría parado", dijo Doss con firmeza. "Yo no tendría pistola, y no mataría, mas al terminar con él, el pobre iba a desear haber muerto".

---

3    Un seudónimo

El conflicto se vio interrumpido por la mudanza a Indiantown Gap. Allí el teniente tuvo la última palabra. Asignó a Desmond permanentemente a tareas en la cocina con la tarea específica de limpiar la loza. El verse expuesto a la dura lejía del jabón en forma constante, sus manos quedaban casi sangrando. Y se le negó permiso de salir del área de la compañía, lo que significaba que sería inútil para Dorothy venir a visitarlo.

Un día llegó un telegrama de su familia. Su hermano menor estaba en casa en su último permiso antes de salir al extranjero con el servicio naval. Sería la última oportunidad de la familia para estar juntos. Al mismo tiempo varios hombres del pelotón, incluyendo Desmond, tenían el derecho a un permiso, y todos lo pidieron. El teniente tenía todos los documentos preparados y los hombres se formaron en fila, cada uno iba recibiendo su permiso. Cuando fue el turno de Doss, el teniente cogió los papeles y extendió su mano.

"Todavía no calificas con tu arma, ¿verdad, Doss? Hay un reglamento que nadie recibe permiso si no ha calificado".

Con eso rompió los documentos y los echó en un canasto delante de Desmond.

Desmond acudió al capellán y hasta el coronel del regimiento, pero ambos le dijeron que no podían hacer nada. Derrotado, Desmond fue al teléfono del campamento y llamó a su familia por larga distancia.

"No podré ir a casa". Desmond sintió ganas de llorar. Sentía que su mundo se derrumbaba. Quizá nunca volvería a ver a su hermano de nuevo. Quizá nunca volvería a ver a sus seres amados. Como iban las cosas, sintió que podría terminar en la prisión. De pie con el teléfono a su oído, sentía pasar los segundos sin poder decir otra palabra.

Su madre comenzó a sollozar. "Desmond. Desmond ¿Qué pasa? ¿Dónde estás? ¡Desmond!"

Desmond finalmente volvió en sí y les contó lo ocurrido.

La próxima mañana Desmond estaba bañado hasta sus codos en jabón de lejía cuando le vino el informe que debía reportarse al batallón médico. El mayor Steinman lo esperaba. "¡Bienvenido de nuevo!"

El sargento superior le dijo: "Preséntate a tu antigua compañía. Vuelves a los médicos".

"Puedo recibir mi permiso?" Desmond explicó su situación hogareña. En todo caso, le debían un permiso.

Pero las cosas no habían cambiado. Desmond tendría que esperar para recibir un permiso. Le otorgarían una autorización de tres días, pero ningún permiso.

"Acepto la autorización de tres días".

Desmond salió hacia su casa de inmediato. Al llegar a casa supo lo que había ocurrido. Su padre se había comunicado con Carlyle B. Haynes, presidente de la comisión del servicio de guerra de la Iglesia Adventista en Washington. Haynes había llamado al comandante regimental, el Coronel Esteban S. Hampton. "Tengo entendido que tienen algunas dificultades allá, coronel. ¿Es necesario que yo vaya a investigar?"

Contestó el comandante: "O no, para nada. Sea lo que sea, aquí lo podemos resolver".

Inmediatamente Desmond había sido transferido de nuevo al batallón médico. Y Haynes había enviado tanto al comandante regimental como a Desmond copias de los documentos firmados por el Presidente Roosevelt, primer mandatario, y el General Jorge C. Marshall, jefe de estado, afirmando que los objetores de conciencia no tenían obligación de portar armas.

Con Desmond nuevamente en el batallón médico, 307° Regimiento, asignado a la compañía B, la División continuó formación en Indiantown Gap, área de formación en Virginia del Oeste en el campamento Pickett, Virginia. La unidad de Desmond se transportó a Virginia del Oeste en camiones abiertos vestidos tan sólo de pantalones de lona, a un clima con casi veinte centímetros de nieve.

Mientras entrenaban en las montañas locales, ocurrió algo que sería de gran importancia después. Hubo varios periodos de formación sobre cómo atar nudos, algo que les vendría útil al trepar montañas. De suerte, por medio de su membresía en los misioneros voluntarios de su iglesia, Desmond era experto en atar nudos. Un día no había suficiente cuerda y Desmond no recibió con que practicar. Dos hombres compartían una larga cuerda, uno en cada extremo, y Desmond tomó la parte de en medio. La dobló, y con ella practicaba. Al atar un nudo bolina, un nudo que no se desliza, se dio cuenta que había hecho dos bucles en lugar de uno, y ninguno de los dos se deslizaba. Nunca había visto algo así, y lo cometió a la memoria.

En la segunda semana de marzo, 1944, la 77ª División hizo su última mudanza dentro de los Estados Unidos. Bien preparados, con toda su fuerza, con un buen moral, y decididos a demostrar su valentía en la batalla, los hombres de la Estatua de la Libertad de la 77ª División abordaron los trenes de tropas especiales en Camp Pickett y se dirigieron al oeste, hacia el Pacífico y hacia los japoneses. A Dorothy, junto con muchas otras esposas, se le permitió llegar al área de la compañía para decir adiós. Ella y Desmond ya se habían dado sus adioses en la privacidad de la casa de huéspedes del campamento la noche anterior. Ahora sólo podían mirarse uno al otro en los ojos y repetir nuevamente: "Te amo, te amo".

La próxima ciudad importante hacia el oeste era Lynchburg. Desmond estaba en tareas de cocina, pelando papas en un vagón de equipajes, cuando reconoció las afueras de su ciudad natal. Recordó que a su padre le gustaba ver los trenes pasar. Desmond llamó a los otros hombres que lo acompañaban y entre todos cogieron fregonas y escobas, y se pusieron de pie a las puertas dobles del vagón. Al momento preciso, Desmond vio su casa y la figura de su padre en el soportal delantero de su casa.

"Bien, ¡vamos!" Desmond y sus amigos comenzaron a agitar sus fregonas y escobas. El señor Doss, viéndolos, agitó sus manos, sin saber que interactuaba con su propio hijo.

En el frenesí del momento, Desmond tomó una servilleta de papel y escribió en ella a toda prisa. "Querido papá y mamá, estoy rumbo hacia el campo de batalla. Oren por mí". Ató un pañuelo alrededor del papel, escribió el nombre y la dirección de la casa de sus padres, y lo arrojó, esperando que alguien lo hallaría y lo llevaría a casa de sus padres. Alguien lo halló, y lo entregó a sus padres.

El tren pasó en todo su estruendo a través de Lynchburg, sobre un caballete alto, rumbo al Pacífico. Desmond contemplaba desde el tren, anhelando las escenas de su infancia. Dos despedidas en un solo día le robarían el aliento a cualquier soldado. Su estado de ánimo, que ya había estado por los suelos, de repente tocó fondo. El tren seguía su cruce sobre el caballete, y Desmond tuvo el repentino temor de no volver a ver a sus seres queridos. ¿Por qué no brincar al vacío y terminarlo todo de una vez?, se preguntó desconsoladamente.

Desmond metió su mano a su bolsillo y sacó su posesión más preciada. En la Biblia que Dorothy le había dado después de casarse, él había marcado un versículo especialmente apropiado: 1 Corintios 10:13. Lo leyó con deliberación. "No os ha sobrevenido ninguna tentación que no sea humana, pero fiel es Dios, que no os dejará ser tentados más allá de lo que podáis resistir, sino que dará también juntamente con la tentación la salida, para que podáis soportar".

Luego abrió su Biblia a la primera página, al mensaje que Dorothy le había escrito antes de presentarle la Biblia. A medida que el tren lo llevaba hacia el oeste, cada vuelta de las ruedas lo alejaba más de la mujer que amaba. Y Desmond leyó, como lo había hecho muchas veces, las palabras que Dorothy le había escrito.

*Noviembre 22, 1942*

*Mi querido Desmond,*

*Que al ir leyendo y estudiando las preciosas promesas de la palabra de Dios contenidas en esta pequeña Biblia, seas fortalecido en todas las pruebas que encares.*

*Que tu Dios te reconforte y agregue paz a tu corazón, que nunca estés triste ni solo, no importa cuan oscura parezca tu situación.*

*Si no nos volvemos a ver en este mundo, tenemos la feliz seguridad que nos encontraremos de nuevo en el cielo. Que Dios en Su misericordia nos otorgue un lugar allá.*

*Tu amante esposa,*
*Dorothy*

Desmond Doss cerró la Biblia y la colocó de nuevo dentro de su bolsillo, justo encima de su corazón. Qué lindo mensaje. Sintió nuevo aliento y valor. Dio un suspiro, y al seguir el tren su marcha con nueva velocidad, Desmond volvió a las papas. Pronto se avecinaba al combate de guerra.

# CAPÍTULO 3

# ¡COMBATE!

El gran barco de transporte se volvía y revolvía como un monstruo marino en medio de un mar turbulento. A su lado, pero muy debajo, la barca de aterrizaje se revolvía erráticamente en las olas esmeralda-gris del Océano Pacífico. Una lluvia violenta batía los ponchos, los cascos, y los rostros descubiertos de los hombres, una lluvia que opacaba el horizonte divagante, acompañada por el aullido del viento que envolvía el sonido de la artillería y los proyectiles de mortero que explotaban en la distancia.

"¡Segundo pelotón! ¡Comiencen a cargar!" El teniente Willis A. J. Munger, un oficial de porte juvenil que reemplazaba al teniente Gornto temporalmente, tiró su rodilla sobre el barandal. Los hombres lo siguieron. Luego siguió Desmond. Llevaba su equipo de primeros auxilios y su cantimplora sobre su espalda, y en su cintura, una pala. De ambos hombros colgaban bolsas de lona que contenían su equipo médico. Con una carga de 35 kilogramos, una lluvia torrencial que batía su rostro, y manos gélidas que prensaban el barandal mientras la barca se movía amenazadoramente, Desmond buscaba con sus pies la cuerda de la red de aterrizaje que pendía del lado del barco.

"¡Todos abordo señor!"

"¡Desprendamos!"

La nave se alejó del barco hacia el punto de encuentro agitándose opuestamente sobre las ondas de la mar. Primero hacia arriba con un chapoteo, luego descendiendo con una sensación de ascensor que prensaba el vientre de todo tripulante.

No pasó mucho tiempo hasta que los más resistentes de los soldados sufrían náuseas. El Teniente Munger, más joven que la mayoría de los hombres a su mando, luchaba por mantener su porte, pero su rostro lucía un verdoso pálido.

Mísero y agobiado sobre una nave abierta bajo una lluvia menuda, Desmond y el Segundo Pelotón procedían hacia su primera acción militar. Sería una aventura osada y desventurada. De tener éxito, extendería la punta de lanza americana más de 1.600 kilómetros al interior de la serie de islas capturadas por los japoneses entre Japón y las Islas Carolinas. El objetivo de la 77ª División era capturar la Isla de Guam, la más grande de las

Islas Marianas y una posesión norteamericana capturada por los japoneses poco después de su infame hazaña contra la bahía de Pearl Harbor.

Desde su llegada a Hawái el primero de abril de 1944, exactamente dos años desde la llegada de Desmond al ejército, la 77ª División había estado en formación para esta acción, un asalto a una isla fortificada. Parte de la preparación requería calificación de armas de todos los soldados médicos. Trágicas experiencias convencieron al Ejército americano que los japoneses tenían instrucción y órdenes de buscar y matar a los soldados médicos bajo la suposición correcta de que el hacerlo afectaría la moral de las tropas norteamericanas. El oficial ejecutivo del batallón, el Coronel Gerald G. Cooney, le había ordenado a Desmond que se armara con un rifle, y cuando éste se negó, había recomendado que fuese devuelto a los Estados Unidos. El Capitán Vernon, comandante de la compañía B, había intercedido, y Desmond permaneció con la compañía.

Ahora, al acercarse a la Isla de Guam, Desmond desconfiaba de haber permanecido con la compañía. Los hombres sintieron alivio cuando la parte inferior de la nave chocó contra el arrecife de coral a unos 365 metros de la costa. Bajaron la rampa, y uno de los hombres se dejó caer cautelosamente al agua. Esta le llegaba hasta la barbilla. Desmond le siguió. El agua le llegaba hasta las axilas. Los hombres de menos estatura, cargados con su equipo, rifle, y municiones, lograron llegar a la orilla solo con la asistencia de sus colegas.

Abrumados de náuseas y exhaustos después de vadear casi medio kilómetro, los hombres de la compañía se agruparon en la playa. Los cuerpos de los soldados americanos fallecidos en el asalto previo habían sido recogidos, pero la superficie arenosa estaba salpicada con los cuerpos sin vida de soldados japoneses. Los cadáveres yacían destrozados, algunos sobre sus vientres y otros de espalda, todos batidos en el lodo de una lluvia incesante. Al principio, Desmond intentó no mirar los cuerpos muertos. Pero en vano había sido el esfuerzo del Ejército por inculcarle odio hacia los soldados enemigos.

Desmond pronto buscó a sus colegas médicos. Tanto Clarence Glenn como James Dorris habían llegado a salvo a la orilla. Dirigidos por el Capitán Vernon, la compañía inició la caminata de ocho kilómetros al área de vivaque. Entre pesados tanques militares y las lluvias torrenciales, la caminata había luchado con una serie de lodazales, algunos a la cintura de hondos. Arribando a su área de vivaque, los hombres habían llegado al límite de su aguante. Desmond abrió su paquete de raciones militares. Había un trozo de queso con tocino entreverado. Siendo que no comía carne de cerdo, se lo dio a quienes lo podían comer y empezó a masticar las duras galletas insípidas incluidas en el paquete. Los soldados las llamaban galletas de perro. También contenían cigarrillos y café. En disgustada desaprobación, Desmond los arrojó al suelo, un lujo que no pronto cesaría: en unos cuantos días las cambiaría por galletas de perro o una barra de chocolate.

Por el momento la Compañía B, parte del Primer Batallón de la 307ª Infantería, esperaba en reserva. Por cuatro días los soldados esperaron, acurrucados bajo la lluvia. De día llevaban sus ponchos, y por la noche se estremecían de escalofríos en trincheras que rebosaban de agua al atardecer. Sus uniformes verdes de algodón no lograban secarse, y sus pies estaban siempre húmedos.

De pronto llegaron órdenes de salir de forma apresurada. Su misión: cruzar la estrecha isla hacia el oriente, para luego virar al norte, al cruce de Barrigada. Era una ubicación de vital importancia que contenía un pozo de agua potable. A pesar de las lluvias torrenciales, las tropas no se abastecían de agua. Y la isla tenía solo unos cuantos pozos. La captura de Barrigada no podía demorarse más.

El atravesar la isla era, en línea recta una distancia de 12 kilómetros, más otros ocho para subir a Barrigada; pero el verdadero kilometraje, alrededor de colinas y entre sinuosos senderos de la selva, era una distancia mucho mayor. Y el territorio estaba en manos del enemigo. En su apuro por asegurar fuentes de agua potable, las patrullas de ronda se dirigían en línea recta a través del territorio, poniéndose en peligro de francotiradores japoneses, de patrullas de retaguardia, y cerca de soldados enemigos. El batallón se movía como unidad autónoma. La maleza de la selva se cerraba tras ellos al pasar. Nadie los seguía.

Desmond eligió su posición a dos tercios detrás de la cabeza del batallón. Marchar al frente de la compañía no tendría sentido, pues como médico sería un blanco de alta prioridad, y no podría ver a sus hombres si se veían necesitados. También sería imprudente localizarse a lo último de las tropas.

Iban hacia delante con energía. De momento se oían las balas de los francotiradores, pero no atinaban con los hombres del pelotón, que se cuidaban con cada pisada, y cautelosos de no tocar nada. Les habían advertido de las trampas ocultas, pues los japoneses se valían hasta de sus propios muertos para matar. Voltear un cadáver era detonar una granada.

Pero por supuesto, ningún japonés abandonaría una pluma de fuente de fabricación americana. Uno de los soldados la vio primero, brillando a la luz del sol al lado del camino. Era un joven impulsivo y despreocupado.

"¡Miren!, ¡una pluma estilográfica!"

Tres hombres que iban cerca de él se congregaron a observarlo. De repente una explosión sacudió la selva. La pluma había desencadenado una granada de fósforo blanco.

Desmond inmediatamente oyó el alarido. "¡Médico! ¡Doss! ¡Doss!" Corrió hacia ellos. Aun antes de llegar, Desmond percibió el olor a carne chamuscada. El fósforo blanco se pega a la piel mientras quema con un intenso calor blanco. El hombre que había recogido la pluma recibió el mayor impacto del estallido. Su torso era ahora un contorno sangriento. Los otros hombres sufrían quemaduras severas y heridas causadas por metal fragmentado.

Desmond bajó reflexivamente sus lonas de primeros auxilios y comenzó a trabajar. El que había activado la bomba estaba en pésimas condiciones. Había perdido mucha sangre, tenía quemaduras críticas, y estaba en un estado de choque. Desmond paró el flujo de sangre y atendió las quemaduras. En seguida auxilió a otro hombre también en muy malas condiciones. Las heridas de los otros dos no eran críticas. Para cuando había terminado, cuatro portadores habían llegado. Llevarían a los dos hombres críticamente heridos al puesto de socorro del batallón; los otros dos fueron clasificados heridos ambulantes y continuaron bajo sus propias fuerzas.

No fue sino hasta tiempo después que Desmond se dio cuenta que había atendido sus primeras heridas. El pánico no lo había sobrecogido. Si los hombres más críticamente heridos vivían, sería gracias a su pronta y eficiente acción. Antes de correr a alcanzar a su unidad, Desmond paró a dar gracias a Dios por capacitarlo y darle la facilidad de desempeñarse con éxito.

Alcanzó al Segundo Pelotón antes del anochecer. Se aproximaban al cuerpo principal de tropas japonesas. Habían pasado áreas de vivaque que contenían equipo abandonado por los japoneses además de pequeñas fogatas todavía humeantes. Esa noche, siete japoneses que intentaron infiltrarse al área de la compañía fueron heridos de muerte.

La compañía había pasado siete días sin recibir agua. Sobrevivían de fuentes que ellos mismos habían rastreado. Como resultado, toda la tropa sufría de náuseas, dolores de cabeza, y diarrea. Esperaban con ansias la captura de Barrigada.

Luego llegó la orden de batalla. El Segundo Pelotón estaba en el centro mismo del frente de batalla, rumbo a una encrucijada de caminos. Se apresuraron a cruzar la selva. De pronto, Julián R. Pérez, soldado de primera clase y explorador del pelotón, comenzó a disparar. Una ametralladora ligera les abrió fuego. Ángelo B. Pacella, soldado de primera clase, cayó herido. El Teniente Munger dio alto a sus tropas y envió un grupo de hombres a rodear la ametralladora por ambos lados. En momentos le pusieron fin y el avance continuó.

Ahora la batalla aumentó. Varias compañías se vieron involucradas, atacando al máximo. Los japoneses respondieron con sus armas. Desmond escarbó un hueco llano y en el se escabulló. Enfrente veía a un soldado americano de uniforme verde que saltó y comenzó a correr hacia enfrente en posición agachada. De repente cayó y permaneció quieto. Luego vio a un oficial, aparentemente el comandante del soldado caído, ponerse de pie sobre el soldado y comenzó a agitar sus manos mientras que gritaba su nombre.

Desmond corrió hacia ellos, manteniendo una posición baja. El soldado yacía boca abajo donde había caído. Tomó al soldado por una pierna, elevándola sobre la otra y volteándolo cara arriba. Su pecho estaba completamente ensangrentado. El capitán observaba, mudo. Con sus manos, Desmond rasgó la camisa de faena verde en dos. Un proyectil de mortero le había abierto un hueco en el pecho.

El médico sabía que no podría ayudarlo, no obstante abrió su lona de primeros auxilios y sacó un apósito. Al colocarlo, el soldado soltó un alarido involuntario. Había muerto.

Desmond rápidamente elevó una oración silenciosa. Luego él y el capitán se devolvieron a buscar refugio seguro. No fue sino hasta momentos después, tras haber hallado protección entre los matorrales de la jungla, jadeando por oxígeno, que Desmond comprendió que por primera vez había perdido a un soldado americano a la muerte.

Frente a Barrigada estaba un gran baldío. Al lado opuesto había una choza abandonada de color verde. Contemplándola, el Teniente Munger dijo: "Me parece buena protección. Tomémosla".

Munger y Pérez rápidamente cruzaron el baldío en un movimiento de zigzag. Los otros hombres del pelotón les siguieron en grupos de dos y tres. De repente un tanque enemigo, su cañón esputando fuego y muerte, cruzó la aldea acercándose amenazadoramente al puesto de mando, dejando heridos y muertos en su estela. Dos hombres del Segundo Pelotón habían quedado heridos. Los japoneses comenzaron a llover proyectiles de mortero y artillería sobre la choza.

"Quien quiera, puede devolverse, los entiendo—dijo Munger—pero yo me quedo".

Nadie se movió. El sargento Charles J. Kunze se ofreció a ir por refuerzos. Zarpó, cruzando el baldío y reportó la situación al Capitán Vernon.

Dijo Vernon: "Dile a Munger que salga de allí. Esa choza no vale la pena".

Kunze cruzó el baldío de nuevo y dio el mensaje. Mientras que otros miembros de la compañía los protegían de una descarga de fusilería japonesa, Munger y sus hombres salían de la choza. Al instante Munger recibió una bala y cayó. Estaba muerto. Pérez y Kunze resultaron heridos. Pero la compañía logró repeler el ataque japonés. La próxima mañana capturaron la aldea junto con el pozo y una reserva de agua mínima.

Una vez asegurada la aldea, los americanos juntaron a los muertos a un solo sitio. Algunos chamorros, miembros de la tribu local, habían muerto junto con los americanos. Desmond ambulaba junto al área de recolección cuando oyó un gemido. Creyó ver a uno de los nativos moverse. Habían prestado gran servicio a los americanos. Desmond fue y se arrodilló al lado del hombre pero no sentía pulso. Sintió con sus dedos sobre la arteria carótida en el cuello del hombre. Había una leve sensación de movimiento. ¡Aun tenía vida!

Desmond lo examinó, halló la herida, y le dio tratamiento. Buscó entre los demás cuerpos. Un americano aun tenía vida. Desmond hizo llevar a ambos al puesto de socorro del batallón. Desde ese entonces nunca se dio por vencido por un herido hasta no estar seguro que estaba muerto.

Su colega Glenn le preguntó "¿Acaso no tienes suficiente que hacer con tus propios soldados? ¿Vas a traer a los otros a resurrección?"

"No es mi lugar decidir cuál de estos hijos de Dios deben vivir o morir", dijo Desmond. "Esa es decisión del Señor, y no mía. Siento que debo hacer todo lo que está de mí por asegurarle la vida a cada uno".

"¿Y si se trata de alguien que no merezca vivir?"

Desmond respondió: "A mi parecer, cualquiera que no sea buen elemento en vida tampoco es buen elemento para la tumba. ¿Que peor destino le podría caer a un hombre que morir sin estar preparado para la muerte? Allí quedaría su destino para siempre. No importa qué tan mala haya sido la persona, merece vivir. Así tendrá la oportunidad de oír las enseñanzas de Jesús y ser salvo".

En Barrigada la 307ª Infantería sufrió bajas de ochenta y cinco hombres heridos y muertos. Las condiciones difíciles, lluvia constante, agua contaminada, manadas de moscas y mosquitos, contribuyeron a la cifra de enfermos.

Pero la campaña contra los japoneses continuó. Hombres de la compañía constantemente salían de ronda antes del cuerpo general de tropas. Si no detectaban resistencia, el cuerpo de tropas avanzaba. Donde hallaran resistencia, era para los oficiales más altos decidir cuándo y con cuantas tropas avanzar.

Cuando hombres del segundo pelotón eran asignados a salir de ronda, Desmond siempre salía con ellos. Su amigo, el Sargento Howell, uno de los oficiales no comisionados más altos de la estación de socorro del batallón, supo que Desmond salía con los soldados de ronda.

Le preguntó: "¿Has perdido tu mente, Desmond?" Tu oficio no es salir a perder la vida. Tu oficio es mantenerte vivo para poder ayudar a los heridos. Si el Capitán Vernon o cualquier otro oficial intenta enviarte de ronda, dile que ese no es tu deber".

Desmond respondió, "Quizá no sea mi deber, mas siento que es mi responsabilidad. Éstos son mis colegas, mis compañeros. Tienen familias, algunos, esposas y niños. Si resultan heridos quiero estar cerca para auxiliarlos".

Doss continuó saliendo de ronda, filtrándose entre la maleza de la jungla, manteniendo contacto visual constante con los hombres que iban delante de él, siempre alerta por la más mínima actividad sospechosa, siempre mirando por si hubiera minas y otros explosivos. Si uno de los hombres de la excursión se veía herido, los demás lo rodeaban mientras que Doss administraba primeros auxilios. Luego todos se devolvían juntos, rescatando al hombre que había sido herido.

Aun cuando no encontraban resistencia, las patrullas de ronda eran más eficientes cuando iban acompañadas de Doss.

Sentían más confianza. Aun el guerrero más hábil se estremece al imaginarse herido y abandonado, sin ayuda alguna, en manos del enemigo. Sabían que el déspota contra el que luchaban no tendría misericordia. Pero ese temor se desvanecía con Desmond entre ellos, sabiendo que él nunca los abandonaría. El Capitán Vernon y los otros oficiales llegaron a depender de Desmond y su devoción por salir con sus compatriotas. El mismo Capitán Vernon, tan valiente y apuesto como el mejor de los oficiales del ejército, a menudo salía junto a sus soldados, y esperaba lo mismo de cada uno de ellos.

Aun así, hubo roces entre el valeroso capitán y el valeroso médico. Cuando un hombre recibía una herida leve pero que Desmond sabía podría infectarse, cuando sufría de fiebre o diarrea de manera que no podía desempeñar sus deberes, Desmond siempre insistía que ese hombre debía ser devuelto al puesto de socorro del batallón para ser examinado por un oficial médico. A menudo ese soldado no volvía a la tropa. El Capitán Vernon llego a sentir que Desmond era excesivamente cauteloso. Vernon sentía dentro de sí que él continuaría luchando mientras estuviese consciente, y no esperaba menos de ninguno de sus hombres.

Un día protestó en contra de Doss: "Ese hombre no tenía heridas serias. No tenías por que enviarlo de vuelta".

"Ocupaba mejores atenciones que las que yo le podía rendir, capitán. No me quedaba otra".

"Todos ustedes, hilanderos de píldoras, están mimando a estos hombres. ¡Estamos en guerra, no en un hospital!"

Desmond respondió: "Capitán, algunos de estos hombres están tan enfermos que no podrían luchar ni por si mismos ni por nosotros. Saliendo de ronda, apenas saben lo que están haciendo. Fácilmente se ocasionarían o nos ocasionarían a todos a muerte".

También sentía tensiones de otros lados. El Capitán Leo Tann, oficial médico de la estación de socorro, le dijo: "¿Qué es esto que oigo, que sales con los hombres de ronda? No vas a poder ayudar a nadie si resultas herido. Deja a los de infantería el salir de ronda. Tú permanece en el área de la compañía, que es tu lugar".

Desmond había estado en la estación de socorro recogiendo provisiones. Al volver a la compañía, se dio cuenta que su pelotón había partido sin él. Al instante salió por la selva para alcanzarlos, pero tras unos 100 metros, lo vio un oficial de la compañía.

"Desmond, devuélvete. Esta área está hirviendo de japoneses".

Desmond respondió: "Pero necesito encontrar a mi pelotón".

"Ya están lejos. Nunca llegarías vivo. Devuélvete. Es una orden". Habiéndose devuelto, Desmond sentía gran insatisfacción, como si alguna desgracia estuviera por sobrecoger a su pelotón. Ésa noche elevó una oración especial a Dios rogando por el bien de su compañía. Nunca había dejado de elevar sus oraciones de cada día, mañana y tarde. Además, daba gracias a Dios al consumir sus galletas de perro con agua desabrida. Pero no siempre se arrodillaba. En el área de combate había peligro constante de japoneses que intentaban infiltrarse al perímetro de la compañía, por lo cual todos tenían órdenes de disparar a cualquier movimiento sospechoso. En tales circunstancias, con el solo acto de asomar la cabeza fuera de su trinchera, cualquiera de los soldados podía verse baleado. Por lo cual razonaba que Dios oía sus oraciones, fuese de rodillas, de pie, o estremecido y acurrucado en la protección de una trinchera.

Esa noche le pidió al Señor que si era Su voluntad, protegiera en forma especial a los hombres del segundo pelotón. En la mañana el teniente George M. Black, que había reemplazado al fallido Teniente Munger, llegó al área de la compañía con dos de sus hombres. Los tres habían sido heridos.

Black reportó: "Una lluvia de artillería y proyectiles de mortero nos llovió toda la noche. Algunos de nuestros hombres fueron heridos, necesitan atención inmediata".

Desmond echó mano de su equipo de primeros auxilios. "Estoy listo, teniente".

El teniente dirigió al médico y un grupo de fusileros de regreso al pelotón. Francotiradores los siguieron por todo el camino. Algunos hombres se vieron heridos, y Desmond les dio primeros auxilios. Por la descripción del ataque, Desmond sabía que había sido un milagro que hubieran sobrevivido. De todo el pelotón, sólo un hombre perdió su vida, al atender al último herido, Desmond inclinó su rostro y humildemente dio gracias al Señor por haber atendido su oración.

Al regresar, se vio doblemente expuesto a las balas de los francotiradores, pues ahora iba ayudando a uno de sus hombres heridos, que había sido herido en una pierna. Ambos cruzaban la selva con el hombre herido saltando sobre una pierna, su brazo sobre los hombros de Desmond. En más de una docena de ocasiones oyeron balas zumbar alrededor de ellos entre la maleza de la selva. Cada vez, se tiraban al suelo buscando protección. Fue un viaje largo y angustioso, pero al final llegaron al área de la compañía, ambos a salvo.

Dos días más tarde la compañía se vio congregada de nuevo. Nuevamente salió un grupo de ronda primero, esta vez sin Doss, su médico. Cuando el Capitán Vernon supo que Desmond no había acompañado a la patrulla, le urgió que la alcanzara. Parece entonces la ronda ya estaba bien adentrada en la selva. Francotiradores japoneses rodeaban el área. Y lo peor era que Desmond sabía que el grupo estaba compuesto de hombres verdes, inexperimentados. Hombres predispuestos a disparar sin razón.

Desmond respondió: "Ya es demasiado tarde para salir, capitán. Si no me matan los japoneses, moriré fusilado por nuestros propios hombres".

Vernon lo desafió. "¿Te estás negando a salir?"

"Capitán, sólo conseguiré que me maten, y tengo órdenes de no tomar tales riesgos".

Vernon explotó. "¡Te voy a someter a corte marcial! Aun ustedes, mecánicos de chancros, ¡están obligados a obedecer órdenes igual que los demás!"

Desmond salió hacia el puesto de socorro del batallón con apuro, a reportar la situación al Capitán Tann. El oficial médico inmediatamente envió un reporte al cuartel general del regimiento. Tann había oído que el Capitán Vernon se mofaba de sus médicos, llamándolos mecánicos de chancros, e hilanderos de píldoras, y se sentía irritado. No hubo corte marcial. Y se le informó al Capitán Vernon que Desmond recibía sus órdenes del batallón médico, y no de los oficiales de la compañía B. El episodio llegó a su fin, más Desmond sabía que su proceder había inquietado al capitán.

En ese tiempo Desmond comprendió algo sobre las responsabilidades de liderazgo. El batallón iba barriendo la resistencia esporádica al norte de Barrigada. Barrió el área como unidad solitaria sin depender de otros batallones. La selva se cerraba detrás de ellos, como si fuera sellando sus maniobras.

De repente se oyeron disparos. ¡Emboscada! Cuatro hombres se vieron heridos críticamente. Desmond fue el primero en llegar a ellos e inmediatamente les proporcionó tratamiento médico.

La mayoría de los batallones ya habían rastreado el área. ¿Qué haría Desmond con los heridos? Incapaces de ambular, Desmond no podía abandonarlos. Mientras trabajaba, llegaron soldados con cuatro camillas y depositaron a su cuidado cuatro hombres. Tras de ellos vendría un equipo de soldados fungiendo como retaguardia. Y tras ellos vendrían los japoneses. La retaguardia se hallaba bajo el mando de un sargento de infantería. Desmond no lo conocía, pero sabía que debía ser un hombre duro y competente como para que se le confiara tan crítica tarea.

Desmond se acercó y le dijo: "Debo pedirle que algunos de sus hombres lleven a estos heridos".

"¿Estás loco? Somos la retaguardia. No puedo darme el lujo de perder a ninguno de mis hombres".

"Tendrá que hacerlo. ¿Cree que voy a abandonar a estos hombres a la muerte?"

"¡A mí me da igual! Solo sé que no puedo perder a ninguno de mis hombres".

El tono del hombre era elevado, y Doss también levantó su voz. "Soy un médico de combate, y esto es una emergencia, ¡y le estoy ordenando que me ayude a acarrear estos soldados americanos heridos! Y si no lo hace voy a tomar su nombre y número de serie y se verá degradado a privado".

"Bueno, tendré que preguntarle al teniente. Pero él ya pasó".

"Bien, vaya y pregúntele, pero algunos de sus hombres se quedaran aquí hasta que vuelva".

El sargento salió corriendo tras el teniente. La selva quedó en profundo silencio. Se habían quedado solo unos cuantos hombres más los heridos, y todos volteaban a todos lados aprensivamente. De repente apareció el sargento.

"Muy bien. El teniente dice que tomes lo que necesites. Pero pronto. ¡Salgamos de aquí!"

Cuatro hombres cogieron las manijas de cada camilla y salieron a trote por el sendero. Desmond salió junto con ellos hasta que pudo trasladar a los heridos, todos vivos, al batallón médico.

La campaña en la Isla de Guam llegaba a su cierre. Tan solo quedaban operaciones mínimas en áreas de resistencia aisladas. La 77ª División retrocedió a un vivaque a descansar, y a recibir a nuevos reclutas. El Capitán Tann convocó a Desmond al puesto de socorro.

"Te voy a trasladar fuera de la compañía B. Serás un portador de camilla basado en este puesto de socorro. Y es que si el Capitán Vernon no sabe cómo tratar al mejor hombre de primeros auxilios de cualquier compañía del Ejército, bueno, yo sí sabré".

Desmond empacó sus cosas y se trasladó al batallón médico. Allí tenía algunos amigos. Uno de ellos era un portador de camilla llamado Herbert Schechter. Herb era un hombre bajito y fornido, de pelo rizado negro. Era tranquilo, sincero, y religioso. Al igual que Desmond, guardaba el sábado, pero como judío y no adventista. Ambos jóvenes disfrutaban una buena discusión sobre la religión, deleitándose en su común acuerdo sobre varios puntos filosóficos.

"¡Caramba que gusto me da verte! Seguramente no te lamentas por haber salido de allá".

"No, la verdad que no", respondió Desmond. Pero por dentro no sabía qué pensar. Sentía que entre los soldados al frente de la batalla era donde mejor podía servir a su país, y por lo tanto, a su Dios. Quizá era donde realmente pertenecía.

Poco después, el hombre que había reemplazado a Desmond como hombre de primeros auxilios de la compañía, murió de pulmonía. Desmond fue a su comandante y pidió ser trasladado de vuelta a la compañía B.

"¿Estás loco, Doss?"

"No, señor. No estoy loco. Quisiera servir junto a mis antiguos compañeros". El capitán dio un suspiro y preparó los documentos para el traslado.

# CAPÍTULO 4

## UN SÁBADO MUY ATAREADO

Gritó uno de los recién llegados: "¡Doss! ¿Ya oíste? Porque hemos pasado por dos duras campañas, nos van a clasificar reserva de reservas en esta próxima. ¿Magnífico, no te parece?"

Desmond suspiró. Tantos recién llegados. Era prácticamente un grupo de soldados nuevo. Ni siquiera sabía el nombre del soldado que le hablaba. "Sí, me parece bien", contestó. No veía necesario decirle lo que los soldados de más experiencia ya sabían. Reserva de reservas se oía muy bonito. En realidad significaba que la 77ª División sería detenida hasta que la situación estuviera tan grave, que serían lanzados a la lucha más sangrienta de todas. Así había pasado antes. Y ahora, apenas habían terminado la campaña de Leyte y ya planeaban enviarlos a otra batalla.

Desmond no podía sino sentir un poco de amargura. Meses atrás se les había prometido un descanso en Nueva Caledonia. La verdad es que ni siquiera habían visto la costa de Nueva Caledonia. Y ahora le habían prometido una Estrella de bronce, pero no había visto nada. Aun si la recibiera, ¿que podía hacer con ella si no clavársela sobre su uniforme desgastado?

El capitán se había propuesto conseguir ascensos para todos sus hombres. Como resultado Desmond era ahora un soldado de primera clase. Después de tres años en el ejército, tenía un puesto un paso arriba del más bajo, con un incremento en salario de $50 a $54 al mes. Gran ascenso. En la primavera de 1945, se hizo obvio a todo americano en el Pacífico Sur que de aquí en adelante todo nueva operación sería una batalla grande y sangrienta. Al irse acercando más y más a la isla japonesa, sus soldados resistían con mayor fanatismo. Cualquiera que fuese la siguiente batalla, Desmond sabía que sería el más grande desafío para la división y para sí mismo.

Junto con el resto del Primer Batallón, la Compañía B abandonó el área de vivaque en Leyte y abordó el buque *U.S.S. Mountrail*. Era el cuarto transporte para la compañía. Mirando alrededor, Desmond vio a algunos de los cuantos rostros familiares abordo: el Capitán Vernon, el Teniente Gornto, y por supuesto, el Teniente Phillips, y el Teniente Onless C. Brister, que también había visto muchas batallas. Había otros dos hombres del Estado de Virginia en la compañía, William S. Carnes y Lewis R. Brooks, a quien Desmond conocía muy bien; y por supuesto, su colega médico,

Jim Dorris. A algunos de los oficiales no comisionados, como el Sargento Kunze, se les había conferido comisión de batalla y se les había trasladado a otras compañías como oficiales. Algunos privados y privados de primera, como Joseph R. Potts, Charles C. Edgette, y Clarence O'Connell, habían sido promovidos a sargentos. El Sargento de estado mayor, John Maholic, uno de los hombres más célebres de la compañía, se había ganado renombre una y otra vez en combate, y era uno de los más respetados, y el más popular, de toda la compañía.

Pero los rostros ausentes eran más que los que estaban presentes. Glenn y Schechter, y otros. Desmond pronto despejó su mente. Tales pensamientos eran peligrosos. El convoy se avecinaba rápidamente al norte bajo la fuerza del vapor, hasta que parecía que Japón estaba en el mismo horizonte. Al final del 23 de marzo, apareció una gran isla. Se trataba de Okinawa, en las islas Ryukyu, a poco más de 800 kilómetros de la isla más meridional de Japón. Todos sabían que la isla hervía de armas y que era defendida por un gran número de las mejores tropas enemigas.

Algunas unidades de la 77ª División participaban en encuentros relativamente menores en las islas que rodeaban a la Isla de Okinawa. La compañía B no salió de su navío, sino que estaba constantemente en una guerra única. Pues fue en este período cuando los japoneses introdujeron los aviones suicidas, o kamikazes. El transporte *Mountrail* se hallaba bajo ataque constante. En un período de cinco minutos sus armas habían derribado tres aviones japoneses. El *Mountrail* permaneció en la costa de la isla durante casi un mes, con su reserva de reservas, luchando contra enjambres de kamikazes. Fue un alivio cuando los hombres del Primer Batallón, 307º Regimiento, supieron que desembarcarían de su navío para entrar en combate.

Uno de los hombres dijo, "Las cosas han de andar muy mal o no nos estarían llamando tan a prisa".

Desmond contestó, "Las cosas siempre andan muy mal. Pero con la ayuda de Dios, saldremos bien".

En la costa, los hombres pronto supieron los sangrientos detalles de una trágica y extraña campaña. Los japoneses habían convencido a los nativos que los americanos los torturarían y los matarían. Los horrorizados jóvenes americanos vieron a madres cortarles las gargantas a sus hijos, y luego las suyas propias, al ver a los jóvenes americanos acercarse. En una histérica locura que sobrecogió al poblado de la Isla, se mataban a sí mismos y entre sí.

También enterraban a sus muertos en grandes cuevas con entradas ornamentadas muy extrañas. Llegando a las líneas al frente de la batalla, la compañía B se detuvo la noche justo antes de la zona de combate. Era un área desolada que había visto duras batallas, y por todos lados quedaban los restos de tanques destruidos y chozas destrozadas. Cuando los hombres se preparaban para descansar la noche, Desmond notó una de las tumbas locales localizadas dentro del perímetro del área de la compañía y decidió introducirse en ella. Era oscura y húmeda e impregnada de un fuerte olor dulzón.

En la parte posterior de la caverna estaban grandes urnas de barro. Desmond se asomó a una. En la penumbra de la noche, vio un esqueleto. Desmond se imaginó que este sería el último lugar para un soldado japonés, y se retiró a descansar en la tumba por la noche. Pero entre las sombras de la noche se dio cuenta que había cometido un grave error. Se hallaba solo y desarmado. Si los japoneses llegaran a entrar, estaría completamente a su merced. Y peor aun, no podía salir japoneses o no, pues cualquiera de sus compañeros, al verlo salir de gatas de la tumba, rápidamente lo destrozaría en una lluvia de balas. Fue para Desmond una noche muy larga, y como les contó a sus compatriotas al amanecer, pasó más tiempo orando que durmiendo.

Antes de avanzar a sus posiciones la siguiente mañana, el Capitán Vernon le señaló a la compañía el terreno que habría de trazar. El área de vivaque quedaba en una pequeña cresta mirando hacia el sur. Las fuerzas estadounidenses habían dividido la isla en dos y se orientaban hacia el sur. Las fortificaciones japonesas principales ocupaban las colinas de piedra caliza resistente de la parte sur de la isla.

Al otro lado de la isla se elevaba una rocosa cresta marrón, conocida como la escarpa de Maeda. Sus laderas surgían del valle en forma audaz y repentina, cubiertas de grandes rocas. En la parte superior del declive había un acantilado de roca escarpada de unos 15 metros de altura. Esta enorme prominencia cruzaba la anchura de la Isla. Posicionados en su parte superior, los japoneses podían ver con facilidad las actividades de las fuerzas armadas americanas en el mar y por muchos kilómetros atrás. Tenía que ser capturada.

El capitán Vernon se dirigió a los hombres. "En la parte superior de esa colina, y detrás de ella, el enemigo ha construido un complejo de fortines, fortificaciones y emplazamientos. Dos divisiones se han visto cortadas en pedazos intentando tomarla. Ahora, nos toca a nosotros. Vamos a movernos hacia arriba y tomaremos nuestra posición en la parte inferior del acantilado. De allí, estudiaremos la situación para trazar nuestros planes".

Los hombres se miraban unos a otros mientras meneaban sus cabezas. La compañía B había llevado a cabo misiones sumamente peligrosas, pero nunca habían visto nada como esto. Varios de los hombres voltearon a ver a Desmond. En su porte, intentó aparecer tranquilo y en calma. Entendía muy bien la importancia de su presencia a la moral de los hombres. Un buen médico podría ser la diferencia entre la vida y la muerte, y Desmond Doss había comprobado vez tras vez ser un médico sin igual.

Temprano en la mañana, antes de la salida del sol, la compañía se trasladó a su nueva posición en la base del acantilado. Había grandes rocas apiladas, formando hendiduras, y debajo de ellas, ocultas a primera vista, un complejo de cuevas. Bajo la protección del acantilado, la compañía parecía estar bastante segura.

Esa tarde el Teniente Gornto y el Sargento Potts exploraron el acantilado y determinaron los lugares que podían ser escalados. Juntos subieron con cautela, y manteniéndose bajos, asomaron a través de la colina. Identificaron varios fortines de acero y hormigón, y emplazamientos. Enviar pedido al Batallón por cuerda, y una gran cantidad de equipo de demolición, y lanzallamas. El próximo día atacarían a la escarpa.

Al amanecer, Potts y Edgette y sus escuadrones esperaban. Desmond estaba entre ellos. Sabía que no querrían partir sin él. Sentía temor entremezclado con curiosidad. Colgaban de su cuello un par de binoculares japoneses capturados. Si la vista desde la escarpa era realmente asombrosa, él quería verla.

Uno por uno, y con gran esfuerzo, escalaron el acantilado. En la parte superior, manteniéndose postrados, arrastrándose sobre sus vientres, recogían lo que podían de las cientas de piedras sueltas debajo de sus pies y las empujaban hacia delante, construyendo una especie de muro de roca a unos cuantos pies del borde del acantilado, como protección.

Ataron un cabo de la cuerda a una roca y dejaron caer el otro extremo por encima del acantilado, para subir reemplazos. Otra escuadra subió de la misma forma, y les fue más fácil. Manteniéndose en un perfil bajo, la pequeña fuerza evitaba presentarle blanco a las armas ligeras del enemigo. Por el momento, Desmond no hallaba quehacer. Retorció su cuerpo para poder ver hacia el norte. Al instante reconoció la importancia militar de la escarpa. Podía ver, con facilidad, toda fase de la actividad americana hasta lo más distante. En la mar podía ver transportes anclados y naves aterrizando, trayendo refuerzos. Vio un géiser de agua marina que subía cerca de uno de los transportes, la explosión de un proyectil japonés. La posición de los americanos no era sino un blanco magnífico para los ataques japoneses.

¡Uunfp! El sonido de explosivos venía del otro lado del muro de roca. Luego otro, y otro, esta vez justo atrás de ellos sobre la base del acantilado.

"¡Proyectiles de mortero! ¡Lanzagranadas!" Desmond conocía ese estallido.

Los lanzagranadas se podían disparar en dirección casi completamente vertical. La pequeña pared de roca no les ofrecía protección contra tales ataques y los japoneses estaban afinando sus tiros. Tenían escasos minutos para escapar.

"¡Retrocedan! ¡Tiren abajo, bajen del acantilado!" El capitán Vernon informó al cuartel general de la retirada, y recibió órdenes de reanudar el ataque al día siguiente. Otra compañía atacaría al lado izquierdo de ellos, en una posición superior de la escarpa. El cuartel general envió res grandes redes de carga, como las que se lanzan al lado de un buque con fines de desembarque. Grandes maderos se utilizaron para conectar las tres redes en una.

Al acercarse la madrugada, el Teniente Gornto dijo a Doss: "Te desempeñaste muy bien en el enredo de nudos en la preparación montañosa. ¿Qué si nos ayudas a asegurar estas redes en la parte superior del acantilado?"

"Sí, señor". Desmond y otros dos hombres, con las líneas amarradas a sus cinturas, escalaron el acantilado. Manteniéndose bajo, Desmond aseguró la punta de su cuerda a una gran roca. Luego extendieron la red y la aseguraron. Ahora el pelotón entero podía subir el acantilado a una. Los preparativos a un lado, Desmond y los otros hombres escalaron vuelta abajo sobre las redes.

El Teniente Gornto dirigiría el asalto. El objetivo mayor era un gran fortín unos cuantos metros de la orilla del acantilado. Aquel era el punto fortificado desde donde los japoneses habían lanzado el fuego del lanzagranadas. Gornto junto a una escuadra de los más endurecidos veteranos, comenzando con los tres sargentos, Potts, Edgette, y O'Connell. Desmond pidió ser incluido.

Gornto le dijo: "Esta será una misión de lo más peligrosa, Doss. No te sientas obligado a acompañarnos".

"Siento que debo acompañarlos, teniente. Quizá que me ocupen. Pero quisiera pedirle un favor antes de salir", dijo Desmond.

"Muy bien, Doss. ¿Qué se te ofrece? "

"Señor, veo en la oración el mayor salvavidas. Siento que debiera haber oración por cada hombre antes de que ponga un pie sobre la escalera que asciende hasta el acantilado".

Desmond indicaba que cada hombre debiera tener la oportunidad de orar por sí mismo primero. Sin embargo, Gornto llamó al grupo de hombres y les dijo que Doss los iba a dirigir en oración. Desmond no había pensado en una oración formal, pero no permitió que su falta de preparación lo demorara. Con un paso al frente dijo las palabras que le llegaban al corazón.

"Nuestro Padre celestial, te ruego que le des a nuestro teniente sabiduría y entendimiento, capacítalo para dar órdenes correctas, pues nuestras vidas estarán en sus manos. Danos a todos y cada uno la sabiduría y entendimiento en cuanto a cómo tomar las precauciones necesarias para que, si es tu voluntad o Dios, podamos todos volver vivos. Además, te pedimos que si hay alguien aquí que no está preparado para encontrarse con su Hacedor, que tú prepare su corazón ahora por medio de la oración antes de dar inicio esta acción. Lo pedimos todo en el nombre de Jesús".

La guerra sobre la escarpa demoró un momento adicional mientras los hombres permanecían sin moverse. Desmond estaba seguro que todos estaban orando, aun quienes nunca en su vida habían orado. Luego, confiados y casi sin cuidado, se tornaron hacia las redes al fondo del acantilado, señalando a la compañía que estaban a punto de iniciar el asalto. Los miembros del escuadrón suicida, con sus médicos a sus talones, escalaron el acantilado y sin demora alguna se movilizaron en la parte superior de la colina hacia el fortín enemigo.

Entretanto, dos tanques a unos 800 metros atrás, llovieron fuego coordinado sobre el fortín. No tuvo ningún efecto visible. Gornto mandó llamar al privado primera clase Norman Black a que subiera con su lanzacohetes antitanque. Black disparó varias veces. Las explosiones hicieron una apertura en el lado de la cúpula de hormigón. Al amparo de dos francotiradores a ambos flancos, uno de los hombres corrió y lanzó una carga explosiva dentro del fortín. Troncos pesados que obviamente habían formado parte de la fortificación volaron como cerillos. Luego otro soldado corrió hacia él con un lanzallamas y dirigió toda su potencia al agujero abierto.

No se notó más resistencia, y el escuadrón de asalto se movió hacia delante. Veían sólo un gran agujero, los lados se habían venido abajo, cubriendo completamente cualquier salida o entrada que hubiera estado debajo.

Protegido por fuego de ametralladora ligera sobre el fortín, el escuadrón de Gornto se movilizó sobre la colina. Estallaron otros fortines en el área inmediata. Ahora los japoneses detrás del borde de la colina comenzaron a lanzar granadas de mano a los americanos que avanzaban. Los americanos de la primera fila devolvieron el fuego con granadas de mano. Se encendió una feroz batalla.

Desmond se acurrucaba en un pequeño hueco detrás del muro de roca. Los hombres de las primeras filas se acabaron sus granadas y pidieron reemplazos. De pronto una caja de granadas apareció en la parte superior del acantilado.

"¡Aváncenlas!", dijo el soldado que las había subido. Desmond se asomó por encima del muro. Hacia el venia un soldado americano y estaba a uno o dos metros. Si este llegaba, gateaba sobre la pared, recogía las granadas y se devolvía, sería un blanco fácil en la ida y vuelta. Pagaría con su vida. Y los hombres al frente no tendrían sus granadas. También morirían.

Desmond recogió las granadas y las pasó por encima de la pared. Fue la primera y única vez que tocó un arma mortal.

Entretanto, la Compañía A no había logrado tomar su posición asignada. Los primeros cinco hombres que alcanzaron la parte superior del acantilado habían muerto instantáneamente.

Pero el escuadrón de asalto de la Compañía B había asegurado gran parte de la cima de la escarpa. Gornto y Desmond miraron a su alrededor por cualquier herido que necesitara asistencia, y para ver quién había muerto. Pero no había ninguno. En tan feroz acción el escuadrón de la Compañía B había escapado con sólo una herida insignificante. La mano del sargento O'Connell había sido impactada por un fragmento de piedra voladora.

Era algo increíble para todos, menos para Desmond. ¿Acaso no había orado?

El Capitán Vernon envió a un tercer pelotón a escalar la escarpa para reemplazar al escuadrón de asalto. Desmond no abandonó su posición. Sentía que sería necesitado, y así fue. Era el fin de aquel momento milagroso en el cual un gran grupo de hombres bajo una lluvia de balas y granadas japonesas habían escapado sin heridas serias. Era como si la oración de Desmond protegía específicamente a un grupo por cierto período de tiempo. Ahora ese grupo se había retirado y el tiempo de protección especial se había terminado. De nuevo el llamado de "¡Médico¡", se oyó una y otra vez, y Desmond gateó de aquí para allá, administrando ayuda a los heridos. Luego los ayudaba a bajar del acantilado por medio de la red.

Llegó la noche, pero no trajo consigo ni quietud ni paz. La artillería y los proyectiles de mortero japoneses crecieron. Poco después de medianoche un gran numero de japoneses se precipitó sobre los hombres que estaban sobre la escarpa, tirando granadas, desafiándolos en combate cuerpo a cuerpo. Los americanos se vieron forzados a retroceder de la escarpa. De pronto, los japoneses empezaron a aparecer debajo del acantilado. Parecían brotar de agujeros y grietas en la roca. Y por primera vez, la compañía se dio cuenta de que el panal de abeja que estaba dentro de la colina se extendía hasta afuera, hasta donde estaban ellos. ¡El enemigo estaba debajo de ellos!

Al amanecer de esa larga noche, Desmond Doss había auxiliado a 18 hombres, incluyendo a Potts y Edgette. El Teniente Brister estaba en choque. Cuatro de los 18 murieron. Uno de ellos era un hombre de primeros auxilios que justo había llegado de reemplazo. Ésa noche había salido de su hueco por su cantimplora cuando una bala le atravesó la cabeza.

Pero al rayar el alba, el Capitán Vernon y sus hombres se movilizaron nuevamente para retomar lo que habían perdido durante la noche. Nuevamente, Desmond estaba entre ellos, un episodio siguiendo a otro. Un teniente dirigía a tres hombres en un ataque corrido contra un emplazamiento. Alzó su mano para lanzar una granada, pero una bala dio en su mano, demorando el lanzamiento, y su granada explotó en su mano, destruyéndola, e hiriendo a sus tres compañeros. Todo sucedió justo enfrente de Desmond. En un instante había cuatro hombres que necesitaban su ayuda bajo una lluvia tupida de balas.

Cayó de rodillas entre ellos. Los americanos detrás de él tiraban granadas sobre su cabeza a las líneas japonesas. Viendo a Desmond, corrieron la voz para que todos tuvieran cuidado. Las granadas cesaron. Los japoneses se asomaron sobre el borde para ver que había causado el alto.

Desmond gritó desesperadamente: "¡No paren! ¡Sigan disparando! "

Sus compañeros continuaron tirando granadas sobre su cabeza al otro lado, deteniendo a los japoneses mientras él hacía su trabajo. Tenía que parar el flujo de sangre del brazo del teniente así como de otras heridas, y cubrirlas con apósitos entre los otros hombres. Dos de ellos podían gatear, y Desmond dejó que se devolvieran por su propia fuerza. Luego agarró al teniente por el cuello de su camisa, y encorvándolo, lo fue llevando, centímetros a la vez, al borde del acantilado. Un hombre de infantería corrió y ayudó al cuarto soldado a volver a sus compatriotas.

Poco después Desmond se agachaba sobre la colina observando a uno de sus compañeros atacar la boca de una de las cuevas de los japoneses. El hombre dio unos cuantos disparos al interior, luego tomó su carga explosiva para aventarla adentro. En ese momento una bala lo impactó. Mientras Desmond miraba, los dientes del hombre volaron fragmentados por todos lados.

Desmond gritó a un par de hombres de infantería que se dirigían hacia él, "Cúbranme!" Mientras ellos disparaban a la cueva, Desmond corrió al herido, abrió su camisa, localizó el agujero en su pecho sangrante, y puso sobre el un apósito grande. El soldado estaba inconsciente pero Desmond lo levantó y puso su brazo sobre su hombro. Cogiendo el brazo del hombre con una mano y agarrando su cintura con la otra, Desmond corrió hacia sus compañeros llevando al herido consigo. Llegaron a la orilla de del acantilado. Pero todo había sido en vano. El soldado estaba muerto.

Se oyó el alarido, "¡Médico, médico!" Desmond no tuvo tiempo de lamentarse. Un proyectil había caído sobre un emplazamiento de ametralladora en la parte izquierda y superior de la colina. Desmond, agachado y corriendo en zigzag, se acercó al sitio. Poco quedaba de uno de los hombres, sólo una mano desmembrada que todavía agarraba la ametralladora. El proyectil había destrozado parte de la pierna inferior del otro hombre. Ya su muslo se hinchaba. Desmond lo vendó con presión, luego tiró del hombre al punto más cercano en la parte superior del acantilado. Pero un profundo barranco estaba en su camino. Una escalera de madera se inclinaba contra el lado del barranco. Desmond echó mano de ella y la extendió a la otra orilla del barranco. Apenas alcanzaba.

Un tirador lo contemplaba todo desde un hueco de mortero. Desmond lo llamó en una voz que era parte ruego, parte orden. "¡Ayúdame!" El soldado salió a ayudarlo. Desmond se devolvió sobre la escalera llevando la cabeza y los hombros del herido. El soldado lo siguió, ayudando lo mejor que pudo. La escalera era vieja y raquítica. Había sido ayustada en dos lugares. Se doblaba y chillaba, pero Desmond siguió andando, y su ayudante siguió detrás de él. La escalera no se venció. Y lograron llevar al hombre a lugar seguro.

Un día seguía a otro día, y la lucha continuaba sin menguar. Las noches eran malas. Sobre la escarpa los japoneses mantenían una lluvia constante de granadas y continuaban infiltrando. En la parte inferior, en la base del acantilado, la situación era todavía más peligrosa. Los hombres hallaban huecos en las rocas y se metían en ellos, cubriendo la entrada, luego se hundían en un trance de agotamiento. Detrás de ellos los japoneses salían silenciosamente de agujeros entre los huecos y les cortaban sus gargantas mientras dormían.

Pero aun mayor era el peligro de la lluvia de proyectiles de mortero que no cesaba nunca. En partes del acantilado la roca se había erosionado tanto que el voladizo permitía excelente protección.

Una noche, Desmond compartió su refugio con un tirador del Segundo Pelotón. Notó un gran agujero en la parte posterior del refugio, pero parecía no ir muy lejos. Aun así, decidieron que sería mejor que uno mantuviese guardia mientras el otro dormía, alternando cada dos horas. Desmond tomó guardia primero, sentado cerca del la orilla del agujero. Tras unos minutos oyó un crujido y luego a alguien susurrar. El sonido venía del agujero, y el que susurraba, ¡hablaba en japonés! Desmond despertó al soldado compañero y le susurró que escuchara.

"Sí", dijo el hombre, y siguió roncando. Desmond estaba completamente despierto, casi sin atreverse a respirar, escuchando los misteriosos sonidos de un enemigo que estaba a poco más de 1 metro de distancia.

Cuando le tocaba al tirador su turno de guardia, Desmond lo despertó. Pero en menos de cinco minutos el hombre roncaba de nuevo. Y nuevamente comenzaron los crujidos que salían del agujero.

Toda la noche Desmond intentó que su compañero hiciera su turno de guardia. Prometía hacerlo pero en menos de dos minutos quedaba dormido. Desmond intentó que cambiaran de lugar. Por lo menos así, si los japoneses salían del agujero, darían primero con el guardia durmiente. Pero aun en su estado casi comatoso, el soldado era demasiado listo como para cambiar de lugar con Desmond.

El soldado traía dos granadas consigo. Una sola granada, dejada caer por el agujero, pondría fin al peligro, y Desmond podría dormir. Ésa noche Desmond sintió como nunca la tentación de tomar la vida de otro ser humano. Consideró dejar caer aquellas granadas. Pero echó la idea de su mente. Aunque llegara a ser un asunto de vida o muerte para él, Desmond no quebrantaría el sexto mandamiento.

Y tuvo que mantenerse en vigilia toda esa noche. Desmond llegó a una firme conclusión. Si vivía hasta el amanecer, con la ayuda de Dios, no pasaría otra noche ni en ese hueco, ni con ese soldado.

La próxima noche Desmond mantuvo sus resoluciones, juntándose con Gornto en un lugar protegido que fungía como el puesto de mando del pelotón. Justo antes del amanecer, Desmond oyó el frecuente llamado, "¡Médico! ¡Médico!" La intuición le dijo lo que había pasado.

El teniente Gornto le dijo, "No tienes que ir, Doss. Pero Desmond sentía que no tenía escapatoria.

Respondió: "Corre la voz que soy yo, para que nadie me dispare". Dirigiéndose a tientas en la oscuridad, susurrando suavemente en el acento montés que ningún japonés reconocería, y para calmar el nerviosismo de dedos americanos puestos en gatillos, procedió a la cueva donde había pasado su vigilia la noche anterior.

Dentro había un soldado. A un metro estaba otro. Ambos estaban desgarrados y sangrando, víctimas de granadas. Era probable que las granadas habían salido del agujero donde había escuchado los japoneses susurrando la noche anterior. Entre los dos hombres, Desmond usó todos sus apósitos grandes y luego mandó a los hombres al puesto de socorro al amanecer. Pero no creía que sobrevivirían.

La escarpa continuó deteniendo el avance americano. Los oficiales de alto mando, desde el cuartel de la división hasta el pentágono, se preocupaban por la firme resistencia japonesa en aquella colina apanalada. En la prensa los reportes alertaban a toda la nación que la batalla en Okinawa continuaba. De particular interés fue el relato de la batalla del primer día, en la cual nadie había salido herido, mucho menos muerto. Tales sucesos no se dan así porque sí. Un fotógrafo del cuerpo de reporteros llegó a la compañía dos o tres días después de que Gornto había dirigido el asalto sobre el acantilado.

El fotógrafo dijo: "Tengo entendido que dirigiste una hazaña fantástica, estallando una docena de fortines sin perder a un solo hombre".

"Así es". El Capitán Vernon explicó la situación. El fotógrafo contemplaba las redes de carga que colgaban del acantilado.

Vernon le dijo: "Si gustas, podemos enviar a alguien contigo para que tomes fotografías desde arriba".

El fotógrafo espetó sin demora, "¡O no! Puedo tomar fantásticas fotografías desde donde estoy".

Jim Dorris y Desmond Doss fueron quienes treparon la red y se pararon por un momento sobre el acantilado para beneficio del fotógrafo.

Desmond lo llamó: "Sube acá". Él y Dorris quedaban bastante bien ocultos por el declive natural y la pared de roca que habían construido desde el primer día.

Pero al fotógrafo no le pareció la invitación. Explicó su pensar: "¡No se me ha perdido nada allá arriba!"

Luchando sobre la escarpa cubierta de fuego enemigo de día, y presas del enemigo que brotaba de agujeros por la noche, aun los veteranos de experiencia empezaban a mostrar temor. A su alrededor Desmond notaba rostros larguiruchos, ojos alarmados, y manos temblorosas, todo a causa de la extrema tensión mental. Uno de los mejores suboficiales de la compañía buscó a Desmond y le dijo: "No puedo continuar así. Se me acabó la suerte. Puedes decir que estoy enfermo. Tienes que sacarme de aquí".

Desmond meneó su cabeza. Comprendía su temor, pero no podía aprobar. Le dijo: "No tienes patología. Deja de hablar así. Ajústate al tiempo y saldrás bien".

Después supo que ese sargento les estaba pidiendo a otros soldados que le dispararan en la pierna o en un brazo.

Por otro lado, un corporal, uno de los miembros originales de la compañía y alguien que había dado su todo desde el primer día con la compañía, se vio afectado con algún mal que le había resultado en una fiebre e inflamación de las glándulas. Su cuello estaba hinchado, enrojecido y doliente al toque. No podía voltear la cabeza, y tenía que mover su cuerpo para mirar a los lados. Sufriendo, y con tal dolor, no era posible que se defendiera a sí mismo sobre la escarpa. Desmond lo envió al puesto de socorro del batallón. Pero unas horas después, el corporal volvió. El oficial médico en la estación de socorro le había dicho que se reportara de nuevo y que tratara de relajarse un poco.

Desmond se indignó: "¡¿Cómo te puedes relajar aquí?! Vuelve al puesto de socorro del batallón y diles que yo dije que no estás en condiciones de estar aquí. Si el doctor quiere hablar conmigo, yo iré a hablar con él. Pero no vuelvas acá. ¿Entendido?"

El pequeño corporal con el cuello hinchado inició la caminata larga de vuelta al puesto de socorro del batallón. Desmond lo contemplaba. "Es un hombre excelente sin una gota de sangre cobarde en todo su cuerpo". Fulminó para quienes lo rodeaban: "No permitiré que lo vuelvan acá a que lo maten".

Los muertos estaban en otro lado. Encima de la escarpa, americanos como japoneses yacían donde habían caído. En la parte inferior, los cuerpos americanos eran recogidos, pero nadie pasaba a recoger los cuerpos enemigos. Un oficial japonés que se había infiltrado al área de la compañía y había asesinado a dos compañeros de Desmond antes de que lo mataran, quedó doblado sobre una roca, su mano muerta seguía prensada a su sable. Ese sable fácilmente se podía vender por $100 entre los cazadores de curiosidades entre cierto personal de la Marina, pero ninguno de los hombres de las filas delanteras le daban la más mínima atención.

Toda esta mortandad estaba teniendo su efecto. Desmond se preocupaba más por los compañeros que perdía día con día que por su propia seguridad. Cierto día, como sonámbulo, hacía el ritual de un soldado que ponía gasolina dentro de una lata para encender una fogata con la cual calentar sus alimentos. Se puso en cuclillas mientras observaba la llama. Sintió humedad en sus mejillas y con sus manos la hizo a un lado. De repente se dio cuenta que estaba llorando. Reaccionando, ojeó el fuego que acababa de encender.

"¿Y esto, por qué lo hice? ¡Hambre no tengo!"

Comprendió que tendría que volver en sí y dejar de pensar en los amigos que había perdido, varios, y volver a confiar en el Señor.

La lucha por la escarpa continuaba día tras sangriento día, noche tras aterradora noche. Aunque el enemigo había convertido la parte superior de la colina en un baldío—un área de 90 metros—el declive en el otro lado estaba salpicado de fortines que conducían al laberinto de túneles debajo de la misma. Durante el día los americanos ocupaban la cima de la colina, intentando avanzar. Pero por la noche, los japoneses salían desapercibidos de mil y un agujeros, pasando sobre los americanos con efecto mortífero.

Un emplazamiento japonés clave, que no era más que una entrada fortificada a los túneles que había por debajo, fue detectado justo sobre el borde del declive distante de la escarpa. Los americanos intentaron darle con morteros y artillería, pero el declive natural de la colina le daba protección. Hicieron esfuerzos redoblados por destruirlo. El sargento John Maholic, popular oficial no comisionado del pelotón de armas pesadas, se acercó lo suficiente para lanzar una granada. Los japoneses la lanzaron afuera de inmediato. Protegidos bajo fuego americano, dos ingenieros corrieron adelante y soltaron una descarga explosiva, pero los japoneses le retiraron los fusibles antes que pudiera estallar.

En el cuartel del batallón, alguien dio con la idea de construir una cubeta de hojalata que transportarían sobre la colina. Alguien pondría gasolina en la cubeta que iría desde el lado americano hasta el agujero en el terreno japonés. Luego lanzarían una granada para encenderla. Pero construir la cubeta fue una operación torpe, y además, no había suficiente elevación para que la gasolina fluyera. Los japoneses mantuvieron el control de su emplazamiento.

"Voy a estallar ese agujero aunque pague con mi propia vida", dijo el Sargento Maholic. Llevó consigo un escuadrón de voluntarios, cruzando la cima de la escarpa al borde de la colina. Con sus hombres protegiéndolo con fuego, corrió rápidamente al agujero, una granada en cada mano.

Pero las balas japonesas dieron con el cuerpo del sargento. Tropezó y cayó. Su impulso lo llevó casi al borde del agujero. Permaneció inmóvil donde cayó, y las granadas rodaron de sus manos, explotando sin causar ningún daño.

"¡Maholic está herido!" La noticia llegó a Doss, que auxiliaba a un herido en la cima de la escarpa. Aunque con toda seguridad Maholic estaba muerto y Desmond estaba entumecido de agotamiento, salió hacia él sin demorarse. Sabía el respeto que los hombres tenían por Maholic. Un hombre de su escuadrón acompañó a Doss, y juntos gatearon casi al mismo borde del agujero. Tomaron los pies de Maholic y tiraron de su cuerpo hasta cruzar la colina. Llegaron a la protección de un hueco de mortero. Allí Desmond examinó el cuerpo. John Maholic estaba muerto. Juzgando por sus heridas, lo más probable era que había muerto instantáneamente.

La voz corrió por la compañía, y llegó al cuartel general del batallón en bocas de los heridos: Desmond Doss, quien tantas veces se había arriesgado por salvar a los heridos, lo había hecho una vez más para beneficio de un hombre muerto.

Ese atardecer Desmond volvió al puesto de socorro del batallón para recoger equipo. El Capitán Tann se le acercó para darle una amonestación.

"Oigo que te arriesgas por salvar a un hombre muerto. ¿Para qué? Lo único que lograrás es que te maten, y de nada me sirve un médico difunto. Si vuelvo a saber que haces algo así, te voy a retraer".

Pero dio su amonestación en una voz suave. El rostro de Desmond lucía como si hubiese estado luchando la guerra por sí solo. Su cara era magra. Parecía nervioso e irritable. Sus manos temblaban. Su uniforme estaba color marrón de la sangre de los hombres que había auxiliado y arrastrado a la seguridad, y de su propia sangre, pues una roca volante le asesto una cuchillada.

El día llegaba a su final. "Pasarás la noche aquí, Doss", le dijo el capitán. "No, para nada, capitán. Debo volver a la compañía".

"Vas a pasar la noche aquí, y es una orden. Te vamos a dar de comer y nos aseguraremos de que duermas. Y no quiero que hagas turno de guardia".

Después de la cena, el capitán dirigió a Desmond a una cueva tranquila. De un arroyo subterráneo borboteaba un sondeo sedante. Hizo sus oraciones vespertinas, abrió una camilla y se estiró sobre ella. Antes de que pudiera apreciar la seguridad, la tranquilidad, y el murmullo del arroyo, se había quedado dormido.

Por la mañana, refrescado después de dormir su primera noche entera desde el inicio del asalto sobre la escarpa, Desmond comprendió cuán cerca había llegado a un agotamiento físico y mental entero.

Antes que saliera del puesto de socorro, llegaron unos portadores de camilla con un teniente de otra compañía. Era un oficial joven, y temía que todos sus hombres morirían en un ataque.

"Necesito volver a ellos. ¡Necesito volver a ellos! ¿No entienden? Ayúdenme a volver a mis hombres!" Sus ojos estaban rojizos, su nariz resfriada, y su rostro desfigurado. Intentaba bajar de la camilla, pero estaba en un estado tan histérico que apenas podía controlar sus movimientos. Yacía llorando e impotente cuando Desmond lo vio por última vez.

Desmond pensó en sí mismo: "Lo mismo casi me pasa a mí". Y resolvió que, con la ayuda de Dios, mantendría control sobre sí mismo.

Era un día más sobre la escarpa. Dorris resultó herido. Desmond quedaba como el único médico en toda la compañía. Ésa noche la pasó en el mismo sitio con Gornto y cinco de sus tiradores. Con toda seguridad, pensó, en un grupo tan grande, podría dormir un poco entre turnos de guardia; todos tendrían protección de los soldados enemigos que se infiltraban al área. Encontraron un sitio cóncavo al lado del acantilado contra el cual se inclinaba una extensa roca. Por un lado amontonaron piedras y proyectiles de mortero disparados, sellándolo. Una barrera rocosa natural cubría el otro lado. Desmond hizo el primer turno de guardia. A una corta distancia un pelotón de morteros estaba disparando, evitando que los japoneses salieran por la cima de la escarpa. Después de varios estallidos, se oyó un estallido diferente: la explosión de una granada. De pronto Desmond vio, de pie sobre el parapeto exterior, y contrastado con el cielo, el perfil de un soldado japonés.

"¡Teniente!" Desmond apuntó al soldado para que Gornto pudiera ver.

"Lo voy a liquidar", dijo Gornto. Pero disparar en las tinieblas por la estrecha apertura no era cosa fácil. Las balas no daban con su blanco. El soldado japonés vio las ráfagas. Respondió con granadas de mano, queriendo dar con la entrada. Era solo cuestión de tiempo antes de que una lograra entrar al escondite y acabara con todos. Estaban atrapados. Desmond comprendió que esta vez la muerte sería inevitable. Comenzó a orar por Gornto y por los demás como por sí mismo.

El Señor oyó su oración. Gornto había dejado su equipo justo afuera de la cueva. En él, había dos granadas de fósforo. La próxima granada lanzada por el japonés cayó sobre el equipo. Sorprendentemente, en lugar de estallar, las granadas de fósforo empezaron a arder, resultando en una espesa columna de humo. La brisa soplaba en la dirección perfecta, y la columna descendió sobre el soldado enemigo. No pudo resistir. "¡Salgamos de aquí!" Uno tras el otro se apresuraron por la estrecha apertura. Desmond, estorbado por sus botiquines de primeros auxilios, dejó a los otros salir primero. Cuando Desmond logró salir, el humo casi se había disipado por completo.

Corriendo a todo pulmón en las tinieblas, casi le pisaba los tobillos a Gornto. De pronto la borrosa silueta del teniente se convirtió en dos. El japonés se interpuso para cerrarles el camino. Desmond chocó contra las dos siluetas, y rebotó a un lado. Sintió que caía por un voladero. Había caído por encima del parapeto. Él y su equipo dieron a fondo con un golpe seco. Sintió un dolor agonizante que irradiaba de su pierna izquierda. Su pierna no soportaría más su peso.

Pero no se podía quedar ahí. El depósito de municiones, siempre protegido por guardias, estaba cercano. Arrastrando su pierna detrás de sí, anunció su identidad en roncos susurros. Se arrastró hacia el vertedero, encontró un agujero, y se enterró en él, buscando con sus dedos la herida de su pierna. Comprendió que estaba sangrando de manera profusa, y se colocó vendajes para detener el flujo. Sin poder hacer más, se quedó dormido.

Llegó el amanecer. Desmond sabía que tenía que evacuarse con su pierna herida al puesto de socorro del batallón. No sería de ningún beneficio a sus compañeros si su pierna no le permitía llegar a ellos. Pero decidió no ir. Era el único médico sobreviviente, no sólo de la Compañía B, sino de toda la tropa armada sobre la escarpada. Desmond razonó que un médico con pierna herida era mejor que no tener médico.

Era el 5 de mayo. Sábado. Al terminar su desayuno, sacó su Biblia y lección de su equipo y se sentó, inclinado en una roca. Por un instante se dio el lujo de pensar en Dorothy, sus padres, y sus amigos; en los momentos en la iglesia, en un tranquilo sábado lejos del estruendo de guerra. No sentía envidia. Estando en este terrible lugar, sabía, hacía su parte para que su familia, y todo americano, retuviera la libertad de adorar a su Dios según su conciencia; era parte de su herencia. Abrió su lección y comenzó a leer. De repente oyó una voz. "¿Cómo van las cosas en la colina?" Era la voz de mando de un coronel. A pesar de su pierna herida, Desmond intentó ponerse de pie con un salto, pero el coronel le hizo señas que permaneciera como estaba.

"No he subido esta mañana, señor. Nuestro comandante de compañía está allí. Usted puede indagar con él".

El coronel asintió con la cabeza. "Quiero ver cómo anda nuestra artillería". Con eso, procedió a las redes de carga que colgaban del acantilado.

Desmond volvió a su lección. Pasaron unos minutos de silencio tranquilo. Luego, de la cima del acantilado, se oyó el alarido familiar, "Médico, ¡médico!"

Desmond volteó hacia arriba a los hombres que lo llamaban. Era el día sábado, y sufría de una pierna herida. Aun así, contestó. "¿Qué necesitan?"

"El coronel, que vino observar el tiro de artillería, recibió una herida seria". Reflexivamente, Desmond echó de su equipo y entró en acción. Iba hacia el acantilado. Pero al poner su peso sobre su pierna débil, se dobló bajo su peso y cayó al suelo. Un colega lo ayudó a reponerse.

"Oh Dios, por favor auxíliame". Una vez más recargó su peso sobre su pierna débil. Esta vez no se dobló. Un paso, dos, y se dio cuenta que su pierna magullada no tenía sensación de dolor. Con su botiquín sobre sus hombros, subió por la red a la parte superior del acantilado y se dirigió cuidadosamente hacia el agujero de mortero donde el coronel yacía lesionado.

Las balas silbaban sobre su cabeza y morteros y obuses estallaban sobre la colina. Pero Desmond no les prestó ninguna atención. Conocía el sonido de la muerte. Llegó al agujero del mortero y brincó al lado del coronel inconsciente. Un trozo de metal de un mortero disparado le había roto el brazo, cruzando por su pecho y espalda. Estaba sangrando mucho, y respiraba por el agujero que llevaba en el pecho. Desmond gritó a un hombre cercano que corriera la voz de que ocupaba plasma sanguínea, ¡y ya! Seleccionó sus apósitos de batalla más grandes, poniéndolos sobre los huecos, pecho y espalda, para acallar el flujo de sangre y la respiración neumotórax.

Terminaba de vendar a su paciente cuando un soldado saltó al hueco a su lado. Traía consigo el plasma. Desmond insertó rápidamente una aguja de transfusión a una vena del coronel. Para lograr que la plasma fluyera de la bolsa a la vena era necesario mantenerla muy en alto. Desmond tendría que exponerse al fuego enemigo de la colina. Sin moverse, sintiéndose vulnerable, Desmond se arrodilló a plena vista de ambos ejércitos, haciendo que el plasma fluyera por las venas del herido. Detrás de él, sus hombres le gritaban que se agachara y disparaban sobre él para darle protección. Otro soldado apareció con una camilla, y mientras Desmond mantenía en alto la bolsa de plasma, los dos hombres que lo acompañaban abrieron la camilla y con cuidado subieron la forma inconsciente del herido sobre ella. La caminata hacia la ladera del acantilado, corriendo, agachados, con el peso del coronel sobre sí, fue tortuosa. Los vendajes quirúrgicos habían resbalado y la sangre comenzaba a fluir de nuevo. Desmond ató los apósitos por segunda vez. Vio que la aguja de transfusión se había deslizado fuera de la vena. Desmond intentó reinsertarla pero la vena había colapsado. Envió un mensaje al puesto de socorro del batallón que tenía a un coronel en estado grave y necesitaba respaldo. Aparecieron el Capitán Tann y el Sargento Howell, pero nadie logró introducir la aguja en la vena colapsada. Finalmente, Tann decidió: "Debemos llevarlo al hospital. No le estamos haciendo ningún bien aquí".

Recogieron la camilla entre cuatro y llevaron al coronel al puesto de socorro. Pero murió antes que llegaran. Desmond volvió a su lección de escuela sabática. De nuevo fue interrumpido, esta vez por el Capitán Vernon.

"Doss, hemos recibido órdenes de movilizarnos al otro lado de la colina y tomar ese fortín. Cueste lo que cueste. El Teniente Phillips dirigirá el ataque. Yo sé que es tu sábado, y sé que no tienes que acompañarnos este día, en esta misión. Pero los hombres prefieren que nos acompañes, y yo también". Doss respondió sin el más mínimo titubeo. "Yo voy, capitán. Solo pido poder terminar mi lección de escuela sabática primero". En sábado, su Salvador había sanado a enfermos, y él lo imitaría sin faltar.

El Capitán Vernon abrió su boca para hablar, pero la cerró sin emitir sonido. Contempló por un instante a su hombre de primeros auxilios, estudiándolo. El uniforme de algodón de Desmond estaba color marrón y tieso de sangre coagulada, la sangre de hombres cuyas vidas había salvado he intentado salvar. Sus ojos estaban hundidos en sus cuencas, del agotamiento. Vernon sabía que Desmond había recibido una herida grave en su pierna, y sin embargo, había subido el acantilado al peligro de balas enemigas, haciendo lo imposible por salvar a un herido. ¿A cuántos hombres había salvado desde el inicio de esta sangrienta batalla? El capitán había perdido la cuenta.

Vernon asintió con la cabeza. "Nosotros podemos esperar".

El capitán no le informó a su hombre de primeros auxilios que la orden para esta misión especial había originado en la 10ª Unidad del Ejército, a la división, al regimiento, de ahí al batallón, y finalmente a la Compañía B. Todo el avance estadounidense en la Isla de Okinawa, una línea de varios kilómetros de diámetro y con la participación de varias divisiones, estaba detenida por esta posición japonesa resistente. Desde la escarpa, los japoneses habían dominado el terreno en ambos lados. Realmente se podía decir que el éxito de la campaña de Okinawa dependía de esta misión.

Y el Capitán Vernon la demoró mientras que un agobiado guardador del sábado pasaba unos momentos con su Biblia.

Sin saber que demoraba los movimientos de una guerra, Desmond llegó a la conclusión de su lección. Cerrando su Biblia, inclinó su rostro y terminó con una oración. Se puso de pie. De nuevo su pierna magullada pudo milagrosamente con su peso. "Estoy a su disposición, capitán".

Todo el primer batallón participaría en el ataque, aunque la compañía B iría a la vanguardia. La compañía se había reforzado a más de 200 hombres para la campaña de Okinawa, pero después de siete días sobre la escarpa, su número quedaba reducido a 155 hombres.

Estos hombres se enfrentaban a una batalla mucho más grande que sus peores temores, mucho más difícil de lo que los generales y los expertos de inteligencia habían divisado. Ninguno de ellos sabía que toda la estrategia japonesa dependía de este día.

En cada batalla en las islas previas a Okinawa, los japoneses se habían enfrentado a los americanos al desembarcar sobre la cabeza de playa. Esta vez su estrategia había sido diferente. Les habían permitido desembarcar en Okinawa, seis divisiones completas, sin ninguna oposición. Una vez que el cuerpo de fuerzas americanas estaba sobre tierra, un enjambre de kamikazes se desataría sobre ellos para hundir la flota americana y cortar las líneas de suministro. Ésa acción dejaría a las tropas desamparadas sobre la isla.

El siguiente paso de la estrategia japonesa era destruir a esas mismas tropas desamparadas. El lugar escogido: una línea anclada a la escarpa de Maeda, el terreno más favorable en la isla para un contraataque. ¿El momento? Ese mismo día, el sábado 5 de mayo.

La primera parte de la estrategia fracasó. Los kamikazes habían sido solo una irritación. No obstante, la segunda fase, el contraataque, avanzaría según el plan.

Los altos mandos de ambas grandes potencias, a miles de kilómetros de distancia la una de la otra, habían elegido el día de hoy para atacar. El punto neurálgico: la escarpa de Maeda. Mientras los japoneses esperaban en sus pasillos subterráneos hasta la hora cero, los americanos habían iniciado su avance. Al centro estaba la 77ª División. La cúspide de su cuña atacante era el 307º Regimiento, el Primer Batallón, la Compañía B, y finalmente el Teniente Phillips con su grupo selecto de cinco voluntarios. Su misión: el asalto final al gran fortín en la ladera opuesta de la colina.

Los seis hombres, protegidos por una ola de fuego desde la parte posterior, cruzaron la amplia cima de la colina y gatearon por el declive opuesto hacia el gran hueco, emplazamiento principal de las tropas japonesas. Phillips y cada uno de sus hombres llevaba una lata con 20 litros de gasolina. Al dar Phillips la señal, quitaron las tapas y arrojaron las latas al vacío. Philips espero, luego arrojó una granada de fósforo blanco. Por un instante reinó el silencio y luego, estalló un estruendo increíble. La colina entera se sacudió.

Philips y sus hombres se miraron el uno mientras mantenían sus posiciones. El estallido fue mucho más de lo que habían esperado. Y es que debajo de ellos había estallado un depósito de municiones. Momentos después los oficiales que observaban desde las colinas de la parte posterior y desde aviones en el aire presenciaron un extraño fenómeno. Grandes bocanadas de humo blanco salieron de centenares de agujeros y grietas en la parte superior de la colina y de los declives por todos lados.

Y de muchos de esos agujeros, incluso aquellos en el lado americano, brotaron soldados japoneses. Corrían gritando, disparando fusiles, y lanzando granadas. Era el gran contraataque del cual pendían todas esperanzas de los japoneses. La situación le recordaba a Desmond cuando uno golpea un avispero con un palo para luego ver la erupción. Y los americanos no se hicieron esperar. El Capitán Vernon indujo a todo hombre sobre la escarpa y sus fuerzas armadas salieron con firme resistencia. Pero el incontable número de japoneses, y el material explosivo, tanto delante y de la parte posterior, resultaron ser demasiado.

Al principio parecía un retiro semi-organizado, pero el pánico se apoderó de muchos de los soldados americanos. Los oficiales y suboficiales por toda la colina gritaban, amenazando a sus hombres, tratando de mantenerlos en filas organizadas. Algunos de los suboficiales apuntaron sus armas a sus propios hombres, amenazando con dispararles si intentaban huir. Pero el pánico y la histeria barrió como una ola desde la cima por todo el batallón, o lo que quedaba de él. No fueron pocos los que retrocedieron al acantilado. Los hombres, heridos por balas enemigas y morteros, quedaban donde habían caído, heridos o muertos.

En medio de la enloquecida reyerta estaba el único médico sobreviviente de toda la compañía, Desmond Doss. Corría de un hombre caído a otro, haciendo lo que podía. No pensaba en salvarse asimismo, pues había demasiado quehacer. No pensó en los soldados japoneses que lo rodeaban, disparando y lanzando granadas. Hasta ahora Dios siempre había cuidado de él. ¿Acaso no podía cuidar de él ahora? Preparado como un médico de combate, experimentado en un centenar de acciones militares, y seguro en la convicción de que cuando ayudaba a sus semejantes Dios cuidaría de él, Desmond continuó con su labor, auxiliando a los heridos, el único hombre sensato en una colina enloquecida por el homicidio y el terror.

Algunos hombres, viéndolo en su labor, se avergonzaron de su afán por huir. Algunos le dieron una mano con los heridos, ayudándolos, arrastrándolos hasta el borde del acantilado. Pero por varias horas le pareció a Desmond como si fuese el único americano ileso sobre la cima de la escarpa, bajo un rastrillo de fuego enemigo, auxiliando a los heridos, tirando de ellos hasta el borde, para luego regresar por otros.

Aquellos hombres que habían logrado descender por las redes yacían derrumbados, jadeantes, recuperando su aliento y sus sentidos. Cuánto tiempo habían estado allí, ninguno sabía. Al voltear arriba, veían a Desmond Doss de pie, solo, el último hombre ileso. Próximamente los hombres al fondo del precipicio veían que una camilla con un soldado herido se dirigía lentamente hacia abajo por la pared del acantilado. Desmond había atado a un herido en ella, luego había dado un giro de la cuerda al tronco de un árbol destrozado, para luego bajar lentamente la camilla con su carga humana. A unos cuantos metros del fondo, la cuerda que aseguraba al soldado a la camilla se había deslizado, y el hombre inconsciente casi caía al suelo. Pero un par de hombres corrió a ella para mantenerla en balance.

Luego Doss gritó desde arriba. "¡Sáquenlo! Tengo más hombres acá. Lleven a ese directo al puesto de socorro. Sin demora. ¡Está muy mal!"

Los hombres desataban la camilla y sacaban al herido. Comenzaban a atar la camilla de nuevo, cuando Desmond los detuvo.

Gritó hacia abajo: "¡Ya no la ocupo!" Al ver al primer hombre casi caer, Desmond recordó cómo había divisado un nudo as de guía doble en las montañas de Virginia. Ató de nuevo el nudo as doble. ¿El resultado? Dos bucles que no resbalarían.

El área en la cima del acantilado estaba cubierta de heridos, conscientes e inconscientes. Desmond escogía a los más críticos. Les deslizaba las piernas por los bucles. Luego les envolvía la cuerda alrededor del pecho y ataba otro nudo as. Aferrarse al extremo de la cuerda hacía que el hombre herido bajara suavemente por el borde del acantilado, Desmond valiéndose de la ficción del bucle alrededor del árbol como un freno.

"Ese hombre está seriamente herido, ¡llévelo cuanto antes al puesto de socorro!"

Así, trabajando solo, Desmond bajó a un hombre tras otro a la seguridad y el socorro. Se veía parcialmente protegido por el declive y el muro rocoso, pero, siendo necesario que permaneciera de pie por parte del proceso, su cabeza y hombros con frecuencia quedaban expuestos. ¿Por qué no atinaron las balas japonesas? Una vez más Desmond recibió sus resultados como la voluntad benéfica de su Dios. ¿Por qué los japoneses, que ya habían hecho retroceder a los americanos al otro lado de la colina, no salieron a afirmar su ventaja? Nunca se sabrá. Quizá la explosión subterránea les había causado tanto daño que quedaron incapaces de montar un contraataque; tal vez la artillería y fuego de mortero que Vernon había hecho llover sobre la cima había sido eficaz.

Fuese la razón que fuese, Desmond se mantuvo en la cima del acantilado hasta que había bajado a cada herido. ¿Cuántos hombres en total? Nadie los contó. Sólo al concluir su acción empezaron a comprender lo enorme de sus hechos quienes lo habían presenciado. El Capitán Vernon y el Teniente Gornto recordaban un total de 155 que habían formado parte del ataque fallido. La diferencia en la cifra, 100 hombres, fue el número que le acreditaron a Desmond. Pero él protestó. "No pudieron haber sido más de unos cincuenta. Hubiera sido imposible para mí bajar a más".

"Bueno, doblémoslo en mitad", propuso el Capitán Vernon. "El registro oficial indicará 75 hombres salvados por el médico Doss". Por aterrador y costoso que fue el contraataque japonés, fue la última acción en la escarpa. Cuando los japoneses no terminaron su contraataque, los estadounidenses subieron de nuevo a la colina para no retroceder más. Al día siguiente lo que quedaba de la Compañía B fue sustituida por una unidad nueva. Desmond regresó con ellos, cansado hasta el núcleo de sus huesos. Una vez más el Capitán Tann y el Sargento Howell le extendieron una bienvenida. Al mirar el uniforme de Desmond, Tann se estremeció: la tela estaba completamente rígida, revestida de una cubierta de sangre coagulada color marrón, e hirviendo con enjambres de moscas.

"Te vamos a dar un uniforme nuevo".

Los ejércitos en acto de batalla no tienen el lujo de uniformes limpios, especialmente en el tipo de campañas sangrientas como lo fue la campaña de Okinawa. Lo esencial son municiones y alimentos. Pero de alguna forma encontraron un uniforme nuevo para el médico que había salvado la vida a 75 hombres en una sola acción. Desmond fue al depósito de suministros para recogerlo. Se bañó, se afeitó, y se vistió con su nuevo uniforme. Un uniforme de gala no podía haber sido más impresionante. El ejército consiguió un fotógrafo que tomó la imagen de un médico de combate con uniforme nuevo.

El oficial comandante de la división, el General Mayor A. D. Bruce, había oído del heroísmo de Desmond y quiso conocerlo en persona. Llegó al puesto de socorro del batallón para recibirlo. Fue por eso que Desmond recibió uniforme nuevo.

Al día siguiente, Desmond recibió una sorpresa todavía más grande. Era un paquete grande proveniente de los Estados Unidos. Con el paso de los años, Desmond había escuchado un programa de radio adventista, la Voz de la Profecía. Varias veces había enviado donativos. Después de la campaña de Leyte, en su agradecimiento por la protección del Todopoderoso, Desmond había enviado otra contribución. Con ella había enviado una carta pidiéndole al Pastor H. M. S. Richards, el evangelista adventista director del programa, que le enviara algunos libros para distribuirlos entre la compañía.

Ahora habían llegado. Desmond los desempacó con gran emoción y se los repartió a los hombres de la compañía. El número concordó justamente con el número de soldados. Cada quien recibió un libro y no quedó ningún libro de más. El libro más grande, *El conflicto de los siglos*, tal vez el más famoso de la biblioteca adventista, Desmond se lo presentó a toda la compañía como un libro de referencia que permaneciera en el mostrador oficial.

Fue un final apropiado a la batalla de la escarpa. Por ahí decían que Desmond recibiría una condecoración adicional junto a su Estrella de Bronce por su osadía en Leyte. Los oficiales querían recomendarlo para dos corazones púrpura, uno por la herida cuchillada causada por un fragmento de roca, y otro por su pierna lesionada. A pesar de que más de un Corazón Púrpura se ha dado por menos sacrificios, Desmond decretó que uno solo corazón por ambas heridas era suficiente.

Mucho más importante que una condecoración era el saber que había podido cuidar de los hombres que tanto había apreciado, facilitando el que varios de ellos regresaran a sus familias.

Verdaderamente había sido un sábado muy atareado.

# CAPÍTULO 5

## LA ÚLTIMA RONDA

Después de dos semanas de descanso, la compañía B, con noventa y tres soldados nuevos, y varios de los hombres originales recuperados después de reponerse de heridas menores y choque, volvieron a la escena de acción. Los hombres que habían estado desde el principio bien pudieron haber pensado que para ellos no había nada nuevo en términos de batalla, pero un nuevo tipo de acción les esperaba.

El Capitán Vernon tomó a sus hombres clave, incluyendo a Desmond, a la cima de la colina conocida como Gota de chocolate, a unos tres kilómetros de la escarpa, y apuntó a la siguiente colina. Ella sería su objetivo. Con su dedo, Vernon trazó en el valle delante de ellos una serie de torres y una línea eléctrica que llegaba al objetivo. Algunas habían sido derribadas.

"Nos guiaremos por esas torres. Y está bien que tengamos algo con lo cual guiarnos, porque va a ser un ataque nocturno. Los japoneses nos han estado atacando por la noche a lo largo de la guerra. Ahora, les vamos a dar de su propia medicina. Vamos a salir a las 2:30 de la mañana, y vamos a dar con esa posición antes del amanecer."

Como siempre, el clima era nublado con lluvias esporádicas. Ésa noche sería sin luna. Para facilitarle a cada hombre seguir en fila detrás del que iba enfrente, Desmond repartió pequeños cuadrados de gasa que se pondrían en la parte posterior del equipo de cada hombre. Esperaban que el color blanco reluciría en la oscuridad.

El teniente Gornto había contraído pulmonía en la batalla de la escarpa. Un oficial joven lo reemplazaba. Al salir en una oscuridad intensa, los hombres no podían ni siquiera ver el cuadrado de gasa blanco que iba delante de ellos. Muchos tuvieron el presentimiento que esta misión terminaría en un completo desastre. Pero tal era el liderazgo del Capitán Vernon que aun los hombres recién llegados, que tenían solo unos días de conocerlo, aceptaron su dirección con casi ninguna queja.

Se movilizaron a través de un terreno resquebrajado en columnas de tres. Los cuadros blancos bien pudieran haber sido negros. No resultaron visibles. Cuando algunos hombres se desorientaron, se corrió la voz que cada hombre se asiera del hombre que iba enfrente. De momento veían en el aire proyectiles de iluminación, que alumbraban el valle con una áspera luz blanca. Los hombres caían boca abajo de inmediato para no ser detectados.

Tampoco habían de producir sonidos. Los rifles se vaciaron, y las bayonetas iban pegadas. Encontraron a un soldado japonés. Vernon dio permiso a uno de sus oficiales de poner una bala en su rifle y descargarla.

Dentro de poco habían perdido el rumbo de las líneas de fuerza eléctrica. Tuvieron que parar con frecuencia mientras los oficiales consultaban sus compases y para permitir a los rezagados a alcanzarlos y organizarse. Aun así, al acercarse al objetivo, los pelotones se separaron. Nunca se sabrá a ciencia cierta, pero algunos siempre sospecharon que fue el disparo de un pelotón a otro, y no los japoneses, que revelaron su posición al enemigo. No más podrían esperar un ataque sorpresivo. Los japoneses empezaron a lanzar granadas. Dos hombres murieron de inmediato. El resto pronto buscaba refugio.

En base a tientas y no por vista, Desmond sabía que la compañía había pasado sobre la cima de una pequeña colina e iban cuesta abajo por el otro lado cuando los disparos comenzaron. Junto con dos tiradores, Desmond cayó en un hueco de mortero, y allí permaneció. Uno de los hombres cogió a Desmond por el brazo. Luego oyó un susurro. "Mira!"

La silueta de un soldado japonés resaltaba contra el cielo. El soldado se movió, y Desmond vio el fusible de pulverización catódica de una granada de mano que venía directamente al hueco donde se refugiaban. El mortífero armamento cayó a sus pies. Por suerte, los otros dos hombres estaban en el otro lado del hueco.

Instantáneamente, por acción reflexiva, como un chico de granja que amortigua una patada de mula, Desmond tapó la granada con su pie. Inmediatamente estalló. Desmond se sintió sacudido. Sintió como si estuviese volando por el aire, talones sobre cabeza. Pero no sentía dolor. Se entumeció. El aire le fue arrebatado de los pulmones. Movió la cabeza y abrió los ojos. Estaba vivo. Los dos hombres que estaban en el hueco habían desaparecido, pero el soldado japonés seguía en su posición. Otra granada voló por el aire nocturno, pero no dio con su blanco. Sin pensar en la gravedad de su herida, Desmond salió gateando del hueco. Dirigiéndose entre la maleza, repetía en voz baja, "Soy Doss y estoy herido". Nadie le respondía. Continuó arrastrándose hasta estar fuera del alcance de las granadas.

En la distancia oyó a alguien decir que la compañía estaba retrocediendo. Comenzó a arrastrarse cuesta arriba, jalando su brazo izquierdo detrás de sí. Sentía dolor de pies a cabeza. Recorrió su mano a lo largo de su muslo hasta la pantorrilla de la pierna. Percibió que había perdido, y estaba perdiendo, mucha sangre, pero no podía hacer alto en medio del retiro para atenderse a sí mismo. Sintió que desmayaba.

¿Qué hacer en el caso de choque y pérdida de sangre? Se elevan los pies del paciente.

Obediente al deber, Desmond se volteó hasta que yacía con sus pies cuesta arriba. Permaneció en esa posición hasta sentir que con el influjo de la sangre al cerebro, volvió en sí. Continuó arrastrándose cuesta arriba por la colina hasta que sentía desmayarse, y volteaba de nuevo los pies cuesta arriba.

Llegó a la cima de la colina y comenzó a descender por el otro lado. Aparecían las primeras ráfagas del alba. Llegó a un hueco plano.

Una voz preguntaba: "¿Quién eres?"

"Soy yo, Doss".

"Justo el hombre que quería ver. Me dieron en el hombro".

Trabajando a la luz de la penumbra, Desmond atendió las heridas del hombre. Luego se revisó a sí mismo. Recorriendo su mano por la pierna de su pantalón, sintió coágulos de sangre, del tamaño de dientes, y con la mano sacó un puñado. Pero a través de la pernera del pantalón ensangrentado no podía hacer nada, por lo cual, se quitó el pantalón. Sintió el contorno de su pierna izquierda. De heridas en su trasero, la sangre corría hasta su tobillo. En su carne sentía pedazos de metal incrustado. Se vendó lo mejor que pudo.

Sabía que no podría arrastrarse más, y se resignó a permanecer en el hueco hasta el amanecer. Por lo menos no estaba solo. El hueco era llano, y tomando la pala de su compañero, intentó cavar. Pero la superficie era firme, y pronto abandonó su intento. Se desmayó con sus pies fuera del agujero. Desmond abrió los ojos. Brillaba la luz del día. Volteó a su alrededor. Lo primero que vio fue un gran proyectil de artillería, no detonado, a centímetros de su cabeza. Había estado cavando con la pala. Si hubiera tocado el proyectil … El pensar en eso lo hizo volver completamente en sí.

El hombre con la herida en el hombro estaba comatoso, pero Doss logró despertarlo. Decidieron permanecer en su posición, esperando que un portador de camilla diera con ellos. Las heridas de Doss se hacían dolorosas en extremo. Sacó una inyección de morfina desechable y le mostró al otro soldado cómo aplicarla. Pero el tirador, temiendo pegarle la aguja a la piel, roció la mayor parte de la morfina sobre la manga de la camisa. Desmond decidió aplicarse la inyección a sí mismo.

La compañía empezaba a reconstituirse. Desmond oyó decir que el Capitán Vernon había sido herido. En respuesta, empezó a arrastrarse en esa dirección. De pronto, se encontró con Vernon. La sangre fluía de la boca del capitán y bajaba por su barbilla. Un fragmento de granada de mano había pasado por su boca y le había salido por la mejilla.

Le dijo Doss: "Tendrás que devolverte, capitán".

El capitán Vernon soltó una risa. "Yo aquí me quedo, Doss, entre mis hombres". El capitán murmuraba por una boca desgarrada. Desmond sabía que sería inútil discutir con él. Remendó la herida lo mejor que pudo.

Vernon continuó. "Esta mañana, nuestra artillería va a llover sobre esta zona. Tenemos que hacerles llegar la noticia para que se detengan".

Pero carecían de medios de comunicación. El radio de la compañía estaba destruido. Enviaron mensajeros. Uno localizó a otra unidad con radio que funcionaba, y enviaron noticia al cuartel general que detuvieran la artillería.

Al principio, ningún portador de camilla llegó al área. Finalmente, llegaron. Uno de ellos, T/5 Ralph E. Baker, conocía bien a Doss. Pronto se movilizó y dentro de poco hizo que su amigo y compañero médico fuera transportado al puesto de socorro del batallón.

Tendrían que caminar por una zona peligrosa en un día que se había vuelto caluroso y húmedo. Desmond entraba y salía de la inconsciencia. Se despertó con un sobresalto. Los morteros volaban entre los árboles. Tanques enemigos disparaban armamentos en su dirección. Los portadores de camilla habían caído al suelo, y Desmond cayó al suelo con ellos. Su dolor era agónico, y lo hizo despertar completamente. Miró a su alrededor. A menos de un metro de distancia estaba otro soldado estadounidense herido. La sangre cubría su cabeza aunque todavía respiraba. Desmond reconoció que aquella herida era más grave.

Cuando los disparos abatieron y los cuatro portadores se prepararon para proceder, Desmond bajó de la camilla. "Ese hombre está herido en la cabeza. Llévenlo primero a él".

Su amigo Baker y los otros tres hombres protestaron con vigor. Desmond era su amigo. Baker dijo: "Comenzamos contigo Doss, y queremos llevarte a la estación".

Pero Desmond insistió. "No, señor. Bien sabes que una herida a la cabeza toma precedencia. Lleven a ese hombre. Yo todavía tengo tiempo. Nadie sabe cuánto tiempo tenga él".

Finalmente se convencieron. Subieron al hombre inconsciente a la camilla y dejaron a Desmond solo. Dentro de poco alguien más llegó. Doss lo reconoció de inmediato. Era Lewis Brooks, de Richmond. Estaba herido, pero podía caminar, y ofreció ayudar a Desmond lo mejor que pudiera. Doss se puso de pie y abrazó a Brooks con su brazo izquierdo. Brooks lo apoyaba con un brazo en su cintura. Empezaron rengueando sobre el terreno destruido hacia el puesto de socorro.

De pronto algo impactó uno de los brazos de Desmond, el que iba sobre el hombro del Brooks, como el tirón de un martillo. Inmediatamente después oyó el disparo. ¡Francotirador! La bala pasó por el antebrazo de Desmond y se enterró en la parte superior. Sabía que estaba fracturado por debajo y por encima del codo. Pero si no hubiera dado con su brazo, hubiera atravesado el pecho o la garganta de Brooks. Ambos se tiraron al suelo. Veían un hueco de mortero y se arrastraron hasta él. Desmond tenía que sostenerse el brazo para evitar que batiera sin control alguno. Arrastrarse sin el uso de una pierna ni los brazos no era fácil.

Brooks quería saber que podían hacer. "¿Qué podemos hacer? No hay médicos que te auxilien".

"Eres todo el médico que necesito".

"¿Yo? ¿Qué puedo hacer yo?"

"Te mostraré. Dame la culata de tu rifle". Brooks cogió su rifle y descartó el barril. Desmond había dejado su equipo sobre una colina, pero aun llevaba consigo su chaqueta de campo. Se la entregó a Brooks. "Toma, envuelve la culata con esto. Ahora ve si puedes arrancar tiras de mi camisa y con ellas atar mi brazo a la culata. Luego asegura mi brazo a mi costado". Recostados dentro del hueco, Brooks logró su tarea. Continuaron avanzando. Solo podían esperar que el tirador japonés se hubiera alejado. Las heridas de Desmond ahora se hacían extremadamente dolorosas. Los fragmentos de metal incrustados en su pierna y trasero, diecisiete en total, le cortaban la carne y lijaban sus huesos con cada movimiento de su pierna. Sufría de choque y pérdida de sangre.

De repente dijo a Brooks: "No puedo andar más".

"¿Prefieres sentarte?"

Desmond pensó por un momento. ¿Sentarse sobre qué? ¿Su trasero desgarrado? "No".

"Entonces, ¿por qué no te recuestas?"

Desmond apenas pudo menear su cabeza. Todo ennegrecía, y sintió que su cuerpo caía al suelo.

# CAPÍTULO 6

## EL HONOR MÁS GRANDE

"**C**orporal", lo llamaba una voz detrás de él. "Corporal Doss".

Desmond se sobresaltó y salió de su ensueño. Por la ventana veía el paisaje del campo de su amado Estado de Virginia, cuyo paisaje se tornaba rojo y café y amarillo, los colores del otoño.

Desmond se dio la vuelta, e intento pararse a atención. De pie ante él estaba el Coronel Hackett L. Connor, oficial comandante del hospital. En su rostro se dibujaba una sonrisa, fuera de lugar para un coronel.

"En paz, corporal", le dijo él, permitiendo a Desmond estar a gusto. "Su promoción se ha hecho efectiva y quería darle las nuevas en persona".

"Muchas gracias, señor", respondió Desmond. A pesar del tono amistoso del coronel, Desmond no lograba relajarse completamente. Todavía no podía creer que estaba a salvo y seguro en casa, vivo, con sus seres queridos, la guerra concluida. Por varios meses había estado en un mundo mitad ensueño, mitad pesadilla. La guerra se había alargado demasiado tiempo, demasiado …

Había despertado en el puesto de socorro del batallón. Le habían dado una gran inyección de morfina, y sintió que entraba en una neblina. Luego despertó en un hospital de campo lejos de las filas de batalla, sentado sobre una mesa quirúrgica. El dolor era insoportable, tanto en su trasero, que donde los médicos manipulaban su brazo fracturado.

"No me puedo sentar", se quejó. "Me duele".

"Tienes que sentarte. Será la única forma de ponerte este yeso", le insistió uno de los doctores.

"No me quiero sentar", murmuraba Doss. Sintió que entraba en la inconsciencia de nuevo. De repente un olor penetrante subió su nariz y su cabeza se aclaró. Alguien había roto una cápsula de amoníaco bajo su nariz.

"Tendrá que permanecer despierto".

Manteniéndolo consciente con amoníaco y la plática, los médicos y sus asistentes pusieron una escayola en toda la parte superior de su cuerpo. El yeso extendía su brazo paralelo al suelo, pero se doblaba en el codo. Cuando el yeso endureció, le permitieron recostarse. Entonces le darían el éter, y la anestesia general, antes de empezar a sacarle los fragmentos de metal incrustados en su pierna.

Más tarde, en una ambulancia, pasó a través de una carretera de Okinawa, al puerto donde un buque hospital le esperaba. Un yeso grande e inmóvil lo cubría desde la cintura hasta el cuello. Y las vendas se enrollaban alrededor de su pierna desgarrada. Sus partes que quedaban completamente desnudas, estaban bajo una cobija militar.

¡Su Biblia! ¿Dónde estaba la Biblia de Dorothy? Con su mano útil la buscó. No la traía consigo.

En el puerto llamó al conductor de la ambulancia. "Mi Biblia, ¡he perdido mi Biblia!"

El chofer lo tranquilizó: "Seguro. Le conseguirán una en el barco".

"¡No!, ¡no!" Desmond gritó, casi fuera de sí. "Quiero *mi* Biblia, la que me dio mi esposa". Insistió en que el conductor corriera la voz a sus amigos en el puerto de socorro del batallón, pidiéndoles que buscaran su Biblia, su Biblia con la carta que Dorothy le había escrito. En su agitación no se dio cuenta cuan difícil sería recuperarla. ¡Las guerras no se detienen por dar con una Biblia en la selva!

Poco a poco se recuperaba. Su pierna comenzó a sanar, aunque pasaría el tiempo antes de que pudiera andar sobre ella. El molde de yeso era incómodo y ruin, pero Desmond sabía que podía aguantarlo porque iba rumbo a casa.

El hospital buque lo llevó a Guam. De allí fue trasladado a Hawái, donde permaneció durante varias semanas. Dentro del molde se sentía sucio; no podía soportar su propio olor. Vio a otro paciente en yeso compuesto de tubos de aluminio.

"¿Por qué no me dan uno de esos?"

"Su condición no es tan mala", explicó el asistente, mientras ojeaba a su colega médico pidiendo respaldo.

Desmond entendió. Comenzó a deshacer su yeso, mojándolo, manipulándolo, hasta que quedó arruinado. Le dieron su nuevo entablillado ligero de material de aeroplano.

Finalmente, dos meses después de resultar herido, volvió a los Estados Unidos. Desde Fort Lewis, Washington, llamó a Dorothy. Por primera vez en dos años, oyó de nuevo la suave voz de su amada.

Cada fase de la larga jornada a casa parecía ser de larga y agonizante duración. Era póliza militar enviar a cada hombre al sitio militar más cerca de su casa. Desmond finalmente llegó al hospital del ejército en Swannanoa, Carolina del Norte, donde su madre y padre vinieron a verlo.

Mientras tanto, Dorothy había vuelto a sus estudios y en unos cuantos días recibiría su título. A Desmond se le prometió un permiso tan pronto como pudiera moverse, e insistió en que Dorothy permaneciera a graduarse. Para ese entonces él estaría nuevamente con ella. El día finalmente llegó. Su brazo salía del autobús lleno de gente. Y el tejido granulado de las heridas en sus piernas era doloroso, especialmente al sentarse.

Pero Desmond iba rumbo a casa.

Había participado en combate en tres campañas mayores, manteniendo su disciplina y determinación mientras que otros se desmoronaban bajo la presión. En una estación de autobuses llena de gente a más de 16.000 kilómetros del frente de combate, en los brazos de su amada, Desmond finalmente permitió que las lágrimas corrieran por sus mejillas. Eran lágrimas de gozo.

En medio de su felicidad no se olvidó de agradecer al Señor del cielo por librarlo de la muerte. De su pensión mensual sacaba un segundo diezmo para su iglesia, en gratitud por haber vuelto con vida.

Estando en Swannanoa, recibió una cálida carta de bienvenida de su amigo, el Sargento Howell, del batallón médico. Todos los antiguos compañeros le enviaron felicidades. El periódico de la división publicó un relato emocionante de su heroísmo sobre la escarpa. En su carta, Howell lo había incluido. Corría la voz que Desmond sería recomendado para una condecoración alta, la Medalla de Honor del Congreso. Pero una noticia lo asombró y lo angustió: el Capitán Vernon había muerto cuando un proyectil de mortero dio directamente al puesto de mando de la compañía.

Y habían hallado la Biblia de Desmond. La compañía entera había salido a buscarla. En su imaginación, Desmond veía a sus soldados compatriotas dispersados, hurgando en cráteres, bajo escombros, manteniéndose siempre alertas por trampas explosivas y de los francotiradores. No pudo contener las lágrimas. Pensar que esos hombres habían hecho eso por él. Sólo podía significar que sentían en el mismo amor y respeto por él que él por ellos. El hallazgo de su Biblia no era sólo un gran cumplido y homenaje a él, sino que además, se gloriaba en la constatación de que la búsqueda de la Santa Biblia sin duda acercaría a algunos de aquellos hombres más a Dios.

La Biblia fue enviada a Dorothy. Aunque había absorbido agua y la cubierta estaba a punto de separarse, aun estaba en condiciones razonables, y más tarde Desmond la mandó encuadernar de nuevo. Ahí, donde la había encajado, estaba la lección que había ido leyendo, el día 26 de mayo, 1945. Había sido herido el 21 de mayo, un lunes.

Cuando sus huesos se habían unido lo suficientemente como para que le quitaran el yeso, su próxima estación fue el hospital Woodrow Wilson cerca de Staunton, Virginia. Allí recibió cirugía para sacar la bala que traía en el brazo. Al principio el futuro parecía positivo. Eran inicios de octubre,

1945. Tanto en Europa como en Japón, la guerra había terminado. Los hombres del ejército volvían a casa.

Y ahora él había sido designado Corporal Doss. Dijo el Coronel Conner. "Y eso no es todo, corporal. Tengo el privilegio de un gran honor. Tengo órdenes de informarle que le han otorgado la Medalla de Honor del Congreso, la condecoración más elevada de nuestro país".

Desmond quedó atónito. "¿Señor? Eh, es decir"... Su voz se desvaneció. La Medalla de Honor del Congreso, la más alta condecoración del país, se otorga sólo a los héroes de la nación por gallardía excepcional más allá del llamado del deber en combate. Ningún marino, ni soldado, ningún general, o almirante, podía recibir un premio mayor.

Por su mente pasaron un revoltijo de emociones: la gratitud, el orgullo, la vindicación. Recordó aquella miserable noche en el cuartel de Fort Jackson cuando las botas de ejército habían volado por encima de las literas a un joven recluta arrodillado en oración. Ahora aquellos hombres y otros como ellos, tanto oficiales como hombres con quienes había servido en entrenamiento y en batalla, lo habían recomendado para recibir el premio mayor de la nación.

Pero también sentía pena y tristeza. Desmond pensaba en su amigo Clarence Glenn, cuyo rostro radiante no sonreiría más, en Herbert Schechter, cuya voz suave y sincera no hablaría más, y el intrépido Capitán Vernon, que le había dado su última orden de combate. Y tantos compañeros que habían pagado el precio supremo.

Aun en tales momentos, Desmond Doss pensaba en los demás. Pensaba: son ellos quienes merecían ese honor. Y de acuerdo con sus convicciones religiosas, pensaba también en aquel Poder que lo había traído seguro a casa. Inclinando su rostro, dio gracias a Dios con un corazón humilde.

La presentación de la medalla sería en la Casa Blanca, en unos cuantos días. Unos días después de que el coronel había informado a Desmond, se lo encontró de nuevo en el pasillo. Desmond todavía portaba la raya que lo identificaba como soldado de primera.

El coronel le dijo: "Si vuelvo a verte esa raya puesta, yo mismo la voy a arrancar". Envió a un miembro de su personal, un teniente, a que se asegurara que Desmond fuese equipado con un nuevo uniforme que llevara todas las insignias apropiadas. Además de las rayas corporales en cada brazo, en el brazo izquierdo llevaba la Estatua de la Libertad, el símbolo de la 77ª División, dos rayas doradas horizontales que representaban dos períodos de seis meses, y un símbolo de almohadilla en diagonal, representando tres años de servicio. Sobre su bolsillo pectoral izquierdo llevaba cintas simbolizando la Estrella de Bronce por su valor, con un racimo, el Corazón

Púrpura con dos hojas de roble, la Medalla de Buena Conducta, la cinta americana por la Campaña Asiática y en el Pacífico Sur (Okinawa, Guam, Leyte, con punta de flecha en desembarco anfibio), y una sola estrella representando la liberación de Filipinas. Sobre su árbol de Navidad estaba la insignia de médico de combate. Y sobre su bolsillo pectoral derecho llevaba una pequeña cinta azul representando la Citación de Unidad Presidencial otorgada al Primer Batallón, 307ª Infantería, por: "Asalto, captura y aseguramiento de la escarpa".

Tres días antes de la ceremonia, un miembro del personal del hospital trajo a Dorothy desde Richmond al hospital. El coronel envió su propio carro de mando oficial, con su conductor, en un viaje de 240 kilómetros a Washington. Desmond era uno de quince hombres que recibirían la medalla en una ceremonia en el jardín de la Casa Blanca. Y por tres días antes de la ceremonia, disfrutaron como dueños de la ciudad. Desmond y Dorothy, con los padres de Desmond, se alojaron en el Hotel Willard, huéspedes de los Estados Unidos de América. Era un suite de lujo.

A cada recipiente de la medalla se le asignó un oficial con fondos aparentemente sin límites para el entretenimiento. El oficial asignado a Desmond y Dorothy estaba emocionado y listo para agradar. Quería llevarlos a discotecas, a los mejores restaurantes, a los lugares más alegres de la ciudad. Por supuesto, los acompañaría a cada uno de los sitios; no se trataba de un deber desagradable. Desmond recibido la nueva de sus amigos adventistas que el evangelista Richards de la Voz de la Profecía estaría presente en la iglesia de Sligo, en Tacoma Park, un suburbio de Washington, dos noches antes de la ceremonia. Para Desmond, la predicación del Pastor Richards era mucho más valiosa que todas las discotecas, los lugares festivos, y los restaurantes combinados. Así que su escolta, un joven oficial católico que había anticipado pintar la ciudad de rojo con una cuenta de gastos sin límites, se halló en un servicio evangelístico protestante dos noches consecutivas. Desmond y Dorothy finalmente permitieron que su escolta los llevara a un club nocturno, después de terminar las reuniones, y no la pasaron muy bien. No querían un cóctel ni un vaso de whisky, no les gustaba que la comida se servía en pedazos y montones. No les pareció el espectáculo en la sala de exposiciones. Ni la idea de gastar tanto dinero en tales frivolidades. Quedaron asombrados. Sin embargo el recorrido turístico por la ciudad, incluyendo un paseo en barco por el río Potomac a Arlington, los complació sobremanera.

Luego llegó la ceremonia en Washington. Desmond volvió a ver a los otros hombres congregados en el jardín de la Casa Blanca. Gracias a su estilo de vida, Desmond era sin duda el hombre más ávido entre ellos. Un hombre llegó tarde y con resaca obvia.

Rígidamente de pie en posición de firmes, esperando que se acercara a él el presidente Harry S. Truman para otorgarle una medalla, para luego recibir el encomio del General del Ejército, George Catlett Marshall, Desmond sentía que sus rodillas le temblaban. Uno tras otro los hombres pasaron al frente, oyeron su citación individual leída por el asistente del presidente, luego, mientras las cámaras de noticieros y los fotógrafos de prensa tomaban sus imágenes, recibían su medalla y un apretón de manos del presidente. Desmond anticipaba que estaría nervioso, incómodo, y apenado al encontrarse con el presidente Truman.

Llegó su turno. Se adelantó y se detuvo, según habían ensayado, en una línea marcada sobre el césped delante del presidente. El presidente obviamente sabía la identidad de Desmond, he hizo algo que no había hecho con los demás. Dando un paso al otro lado de la línea, le extendió a Desmond un fuerte apretón de manos, lo hizo que se sintiera a gusto, y luego el presidente se aferró de la mano de Desmond a lo largo de la lectura de su citación.

Esto fue lo que Desmond oyó:

El Soldado de Primera Desmond T. Doss, fungió como hombre de primeros auxilios de compañía con el destacamento médico de infantería cuando ese batallón asaltó un escarpado de más de 100 metros de altura, cerca de Orasoo-Mura, Okinawa, Islas Ryukyu, el 29 de abril, 1945.

Cuando nuestros soldados aseguraron la cumbre, se vieron expuestos a una densa lluvia de artillería, morteros y ametralladoras, infligiéndoles aproximadamente 75 bajas y forzando a los otros a retroceder. El Soldado Doss se negó a buscar refugio y permaneció en el área de fuego entre los muchos heridos, acarreándolos uno tras uno hasta el borde del acantilado, y desde ahí, bajándolos con una cuerda sobre una camilla a lo largo de la cara del acantilado a sus compatriotas en la parte inferior.

El 2 de mayo, se expuso a fuego de armas ligeras y fuego de mortero al rescatar a un hombre herido a 200 metros más allá de las primeras filas en la misma escarpa, y dos días después prestó auxilio a cuatro hombres que se habían visto asaltados mientras atacaban una cueva fuertemente defendida, avanzando a pesar de una lluvia de granadas hasta llegar a 6 metros de las fuerzas enemigas, donde trató las heridas de sus colegas antes de hacer cuatro viajes frente al fuego para evacuarlos a un lugar seguro.

El 5 de mayo, hizo frente sin vacilación al bombardeo enemigo y armas ligeras por ayudar a un oficial de artillería. Colocó vendajes y trasladó a su paciente a un lugar que ofrecía protección contra el fuego de armas ligeras. Mientras la artillería y proyectiles de mortero caían a su alrededor, administró plasma en detalle tranquilo. Por la tarde de ese mismo día, cuando un americano se vio gravemente herido por el fuego procedente del interior de una caverna, el Soldado Doss gateó hasta donde el herido había caído a unos seis metros de la posición enemiga, le prestó auxilio, y luego lo trasladó a través de 90 metros, depositándolo en un lugar seguro mientras se veía continuamente expuesto al fuego enemigo.

El 21 de mayo, en un ataque nocturno en un terreno elevado cerca de Shuri, permaneció en territorio expuesto mientras que el resto de su compañía busco refugio, exponiéndose sin temor al riesgo de que sus colegas lo confundieran por un soldado japonés, y prestó auxilio a los heridos cuando él mismo estaba críticamente herido en sus piernas tras la explosión de una granada de mano. En lugar de llamar a otro hombre de auxilios que lo protegiera, cuidó de sus propias heridas y espero cinco horas hasta que los portadores de camilla llegaran a auxiliarlo.

El trío se vio expuesto a un ataque por un tanque enemigo y el Soldado Doss, al ver a un hombre más críticamente herido, bajó de la camilla y dirigió a los portadores a que dieran sus atenciones al otro herido. Esperando el regreso de los portadores, se vio herido por segunda vez, ahora sufriendo una fractura de brazo. Con magnífica fortaleza se ató una culata de rifle a su brazo a manera de tablilla y luego se arrastró 300 metros en terreno duro hasta el puesto de socorro.

Por medio de su valor inigualable y su determinación inquebrantable frente a las condiciones más peligrosas y desesperantes, el Soldado Doss le salvó la vida a muchos soldados. Su nombre se convirtió en un símbolo de gallardía sobresaliente, muy por encima y mucho más allá del llamado del deber entre los hombres de la 77ª Infantería.[4]

El presidente de los Estados Unidos se dirigió a Desmond: "Me siento tan orgulloso de ti. Realmente te mereces esto. Lo considero un honor más grande que ser el presidente". Sin más, prendió la medalla, el honor más alto de la nación, sobre el cuello de Desmond.

Luego se acercó el General Marshall para ofrecer felicitaciones a los ganadores del premio. Fue un momento emocionante. Desmond había llevado ese mismo documento, firmado por Marshall, que estipulaba que no se vería forzado a portar armas en el transcurso de la guerra.

El Departamento de Guerra había emitido una comunicación de prensa sobre el que Desmond era condecorado con la medalla. Su escolta obtuvo varias copias, y Desmond y Dorothy y sus padres la leyeron juntos.

Un objetor de conciencia asignado al cuerpo médico, ejército de las Estados Unidos, Soldado de Primera, Desmond Doss, de Lynchburg, Virginia, demostró tan excepcional valor y determinación al ayudar a auxiliar a sus colegas heridos en la campaña feroz de Okinawa que se ganó la Medalla de Honor, como fue anunciado hoy por el Departamento de Guerra.

Esta condecoración de la nación se otorga al soldado de 26 años quien, aunque no portaba armas, realizó tantas hazañas de heroísmo en los campos de batalla en las Islas de Guam, Leyte, y Okinawa, que su nombre llegó a simbolizar gallardía extraordinaria en toda la 77ª División de Infantería, la división de la Estatua de la Libertad.

La esposa del Soldado Doss, Dorothy Pauline, vive en ruta 9, Box 66, Richmond, Virginia. Y sus padres, el Señor y la Señora William T. Doss, residen en 1835 Avenida Easley, Lynchburg. La medalla será presentada al Soldado Doss por el Presidente Truman en la Casa Blanca el viernes, 12 de octubre.

---

4    Aunque los eventos descritos en la citación son obviamente certeros, se basaban en los recuerdos apresurados de los hombres que los presenciaron inmediatamente después de las acciones descritas, y la secuencia no está en orden exacto.

El Soldado Doss, miembro del Cuerpo de 307ª Infantería Médica, Primer Batallón, recibió la aclamación sin límites de los hombres de combate de la 77ª División, desde los privados a los generales.

El General de Brigada, Edwin H. Randle, comandante general de la división, afirmó 'Este soldado, por su entrega incondicional al deber y su valentía e intrepidez, arriesgó su vida mucho más allá del llamado del deber, y se ha ganado el respeto, la admiración, y el afecto de toda la división'.

Esto es de lo más notable siendo que, en su inducción al servicio militar, el Soldado Doss era, y sigue siendo, un objetor de conciencia. Se negó a portar armas o tan siquiera tocar un arma. Su comandante lo trasladó al batallón médico donde fue asignado hombre de primeros auxilios de la compañía, pues deseaba estar al frente con sus compañeros.

En las campañas en las Islas de Guam y Leyte, el Soldado Doss demostró esas mismas cualidades. Sin importar cuán denso el fuego enemigo, permaneció cuidando de hombres heridos sin importarle las consecuencias o el peligro.

Al Soldado Doss se le otorgó la Medalla de Honor por actos específicos de heroísmo supremo en Okinawa, en las Islas Ryukyu entre el 29 de abril al 21 de mayo, 1945.

El Primer Teniente, Onless C. Bristol, 245 Avenida Central, Winona, Mississippi, afirmó: "El Soldado Doss estuvo siempre en las filas al frente, cuidando de los heridos. En varias instancias se afrontó con valor al fuego de mortero y de armas ligeras intenso, prestando auxilio, y sacando del peligro a hombres que habían sido heridos".

El Primer Teniente Cecil L. Gornto, de Live Oak, Florida, era el primer líder de pelotón de la Compañía B a la cual el Soldado Doss fue asignado del 29 de abril al 8 de mayo.

El Teniente Gornto relata: "Por la mañana del 29 de abril, llovía sobre el área fuego de mortero tupido, y un hombre pedía un médico. El Soldado Doss salió de su escondite y se dirigió a la cumbre de la colina. Halló al hombre herido en una oscuridad completa y le prestó auxilio. Al rayar el alba, lo observé bajando al hombre herido sobre el acantilado con una cuerda, evacuándolo. Aquel hombre había perdido ambas piernas en un estallido".

Otro eslabón en la cadena del heroísmo de Doss se relata por el Segundo Teniente, Kenneth L. Philips, Ruta 3, Lexington, Carolina del Norte.

"El 5 de mayo, durante una intensa batalla de granadas cerca de Kakazu, cuatro hombres se vieron críticamente heridos mientras intentaban estallar una caverna. Yacían postrados bajo una granizada de fuego de mortero y granadas de mano. Sin importarle su seguridad personal, el Soldado Doss salió cuatro veces y trajo a los hombres heridos a un lugar seguro".

El Soldado de Primera Carlos B. Bentley, de Fulshear, Texas, relata una instancia del 2 de mayo. "El Soldado Doss oyó de un herido en las primeras líneas entre nosotros y los japoneses. Él salió y trajo a ese hombre a pesar de fuego intenso de lanzagranadas y carabinas".

El zenit en la asombrosa carrera de batalla de este varonil ángel de misericordia ocurrió la noche del 21 de mayo, mientras él mismo estaba herido grave, ganándose así un racimo de roble junto a su Corazón Púrpura que se ganó el 10 de mayo, cuando se vio menos gravemente herido. El técnico de 5to rango, Ralph E. Baker, de los médicos del primer batallón, cuenta la historia.

"El 21 de mayo, el Soldado Doss recibió heridas de una granada enemiga. En lugar de llamar a otro hombre de primeros auxilios desde la seguridad de su trinchera, el Soldado Doss atendió sus propias heridas, administrándose una inyección de morfina cuando el dolor se volvió intolerable."

Los portadores de camilla llegaron a él por la mañana, casi seis horas después. Tras acarrearlo aproximadamente 120 metros, los portadores se vieron interrumpidos momentáneamente por ráfagas de fuego de mortero. El Soldado Doss, al ver a otro herido cerca, bajó de la camilla y ordenó a los hombres que llevaran primero a otro hombre más críticamente herido".

"Al esperar fue herido por segunda vez. Se ató una culata de rifle a su brazo fracturado, formando una tablilla, y se arrastró al puesto de socorro a pesar de sus heridas".

El Soldado Doss, nacido el 7 de febrero, 1919, en Lynchburg, entró al ejército en Camp Lee, Virginia, el 1 de abril, 1942. Previo a su inducción fue un carpintero de navíos. Fue condecorado con la Estrella de Bronce por servicio meritorio como hombre de ayuda médica en Leyte, Filipinas, del 7 al 21 de diciembre, 1944. [5]

Por encima de todo, Desmond recibió un permiso de 10 días. Él y Dorothy fueron a su hogar en Richmond. Desde semanas atrás buscaba ser trasladado al hospital general de McGuire. Ahora se podía mover bastante bien. Su pierna estaba casi normal, excepto algunos fragmentos pequeños de metal que no habían sido eliminados, causándole dolor ocasional. Sus huesos se habían unido, la bala había sido extraída, y la incisión iba sanando bien. Se le había dicho que no disfrutaría uso normal del brazo, pero él creyó que con la ayuda de Dios y su esfuerzo continuo y ejercicio, desarrollaría nuevamente las fuerzas y la movilidad en este.

Pronto recibiría una baja honorable. Aun no había decidido si aceptaría las provisiones especiales otorgadas a un ganador de la Medalla de Honor del Congreso, como un veterano discapacitado, o en base al gran número de puntos de baja que se había ganado en combate.

Mientras esperaba su separación del servicio, sería muy conveniente si lo estacionaban en McGuire, cerca de Dorothy. Un día llegó al hospital preguntando si habría forma de apresurar el traslado fuera de Woodrow Wilson. Los periódicos del país, y de todo el mundo, habían publicado la historia del objetor de conciencia ganador de la Medalla de Honor del Congreso. En Richmond, en base a la influencia de Dorothy en ese municipio, los periódicos habían dedicado las páginas centrales al médico héroe. Al entrar al edificio de la administración, lo reconocieron de inmediato y lo acompañaron a la oficina del oficial al mando.

Se le dijo: "No necesita de un traslado. Tampoco es necesario que vuelva a Woodrow Wilson. Si usted lo permite, nosotros les notificaremos que no se sentía bien y que llegó aquí con nosotros".

Pero Desmond, no habituado a tomarse atajos en el ejército, respondió: "Para nada. Yo regresaré allá en persona a que me den de alta".

---

5    Una vez más hay pequeñas discrepancias.

Mientras tanto, Desmond tuvo que comparecer en otro lugar. Lynchburg, su pueblo natal, pedía que volviera y recibiera la bienvenida de un héroe. Pronto se trazaron los planes. Fue recibido en la estación por funcionarios de la ciudad y conducido por la calle principal en un coche abierto en un desfile militar. Bandas musicales tocaban y pancartas lo proclamaron: "El Hombre Asombroso de Okinawa". La sucursal 16 de la Legión Americana le dio una membresía de por vida.

A finales de octubre, Desmond volvió al hospital Woodrow Wilson a efectuar su traslado. El Coronel Conner se acercó a él saludándolo como a un oficial de rango superior. Cuando Desmond mostró confusión, el coronel dijo: "Recuerda, soldado, la Medalla de Honor califica al recipiente al saludo de un general de cinco estrellas".[6]

Y Desmond regresó a McGuire, en Richmond, Virginia. Tenía un permiso de categoría A, indicando que podía ir y venir a su gusto. Había dado larga consideración a sus planes después del servicio. Aunque recuperaba el uso de su brazo izquierdo, sabía que no le sería posible volver a su oficio de carpintería, ni a ningún oficio que requiriera el uso de ambos brazos. Aun así, pensaba en dos posibles fuentes de realización financiera. Estando en el hospital de Swannanoa, pasó un fin de semana en el hogar de un amigo que era florista. El amigo había tenido que hacer algunas coronas, y Desmond le había ayudado. Desmond se complació con la corona que había hecho y sintió que era de la misma calidad que las que eran realizadas por los floristas profesionales.

Desmond siempre disfrutó de las flores. De niño y luego de joven había cultivado flores y arbustos en flor. Ahora se oía decir que la carta de derechos del soldado (G.I. Bill) ayudaría a los veteranos a ajustarse a la vida civil. Desmond pensó que quizá la nueva legislación le haría posible aprender más acerca de las flores y el negocio de florista, de manera que pudiera establecer su propia tienda de flores. La otra posibilidad tenía también que ver con organismos vivientes, aunque algo diferentes a las flores. Estando en Richmond, un día Desmond pasó frente a una pequeña tienda de peces tropicales, y se interesó. El dueño apreció su interés e hizo lo que pudo por estimularlo. Le dijo que una persona podía ganarse un vivir cómodo y agradable en la crianza y venta de peces exóticos.

---

6    Este es un error común. Muchos oficiales dan un saludo alto a los premiados de la Medalla de Honor, pero no es un requisito, sino cuestión de preferencia personal. Las regulaciones sí estipulan, desde 1945, que un premiado de la Medalla de Honor puede viajar en un avión militar cuando haya espacio disponible, que sus hijos pueden recibir consideración especial para matricularse en West Point o Annapolis, y que recibiría una pensión adicional en reconocimiento de su premio meritorio.

Seguramente ahora, sentía Desmond, viviría bajo la sombra del Altísimo. Su sueldo y su adjudicación lo seguían. Y llevaba la condecoración más alta de la nación.

Él y Dorothy podrían por fin tener la familia que por tanto tiempo habían anhelado. Ambos amaban a los niños. Ambos eran jóvenes valerosos y estaban seguros de poder proveerles a sus hijos un hogar cristiano.

Si hubiera sido posible fortalecer la fe de Desmond aun más, de acrecentar su deseo de servir a Dios y a sus compatriotas y esparcir el evangelio, su agonizante servicio en el teatro del Pacífico Sur, había logrado justamente eso. Se había expuesto demasiadas veces a morteros, a fuego de armas ligeras, y aun a la artillería, mientras realizaba actos de misericordia, y siempre sin verse herido, como para no creer que el Señor cuidaba de él. Es cierto que se había visto herido grave, pero estaba con vida, con salud, y entre los suyos, y con todo, estaba más que agradecido.

Por encima de eso determinó que como un tributo y en gratitud a la gloria de Dios, iría donde la iglesia le pidiera, a hablar a cualquier grupo que lo oyera, en toda forma y en todo lugar avanzando la obra del Señor y la iglesia.

# LA FE QUE HIZO
# AL HÉROE

# CONOCIENDO AL HÉROE

"**¿S**abes quién es?" El diácono me dio con el codo, sus ojos resaltando de emoción. Con sus manos apuntaba hacia un caballero mayor que se dirigía a las primeras bancas de nuestra pequeña iglesia rural. Al principio no tenía la menor idea, pero no batallé en saber quien era. "¡Es Desmond Doss!"

Inmediatamente yo también empecé a emocionarme. Acababa de leer la increíble historia de Desmond con mis hijos. Al igual que yo, se habían sentido conmovidos por los relatos de su perseverante fe y su valor abnegado, como soldado americano durante la Segunda Guerra Mundial.

Ese fue el día en que conocí por primera vez a Desmond y su esposa. La familia de ella tenía membresía en la pequeña iglesia que yo dirigía como pastor, en el norte de California, y Desmond y su esposa ocasionalmente visitaban nuestra congregación. Al platicar en esa primera ocasión, los signos de las experiencias de Desmond en combate eran innegables. Por ejemplo, los ensordecedores estruendos de batalla, y luego los antibióticos experimentales, habían acabado con su sentido del oír, por lo cual Desmond llevaba en sus oídos un implante coclear. El aparato dependía de un receptor de audio con batería que colgaba de su cuello como una condecoración militar.

Por supuesto, Desmond recibió el honor militar más alto del país, puesto sobre su cuello por el entonces presidente de los Estados Unidos, Harry Truman. De hecho, fue el primer objetor de conciencia en recibir la distinguida Medalla de Honor, que le fue premiada por hechos de valor más allá de su deber como médico de combate. Pero lo que más me impresionó de Desmond fue su porte humilde y acogedor a pesar de sus condecoraciones. Siempre que respondía a preguntas acerca de sus increíbles experiencias durante la Segunda Guerra Mundial, le atribuía toda la gloria a Dios.

Con el transcurso de los años hemos platicado muchas veces, y para quienes conocemos a Desmond, no ha sido ninguna sorpresa que sea objeto de numerosos libros y películas, incluyendo el documental, *El objetor de conciencia*, del año 2004, y la reciente producción de Hollywood, *Hacksaw Ridge*.

Y aun así, aunque el servicio militar de Doss y su sacrificio heroico en el campo de batalla son de renombre, son pocos los que han examinado a fondo las creencias únicas que han formado a este héroe médico de combate.

Desmond fue Adventista del Séptimo Día, una denominación que ha ido recibiendo mayor atención debido en parte al estreno de la película dirigida por Mel Gibson acerca de él, y adventistas prominentes como Ben Carson, excandidato a la presidencia de los Estados Unidos.

Pero, ¿quiénes son los Adventistas del Séptimo Día? ¿Qué creen acerca de la Biblia—y por qué? Comprenden una de las denominaciones de más rápido crecimiento en el mundo, y vale la pena examinar la verdad acerca de este grupo religioso y lo que los motiva.

Doug Batchelor
Presidente, Amazing Facts

# LA BIBLIA PRIMERO

**G**uerra o no, Desmond Doss fue un firme creyente en la necesidad de leer la Biblia. Su edición de bolsillo, que le obsequiara su esposa antes de su partida a Guam, fue para el tan significativa que la llevaba consigo por todo lugar. Cuando fue herido, llevado por ambulancia a un buque hospital, descubrió que había perdido su más preciada posesión. Hizo correr la voz a sus colegas guerreros, quienes volvieron al campo de batalla y no descansaron hasta no dar con la Biblia de Doss, y se la hicieron llegar.

Si nunca ha oído de los Adventistas del Séptimo Día, o si no conoce sus creencias, su descriptivo más sencillo sería que son firmes creyentes en la Biblia. Como Desmond, los adventistas proclaman su amor por las Escrituras y creen que sus doctrinas denominacionales se basan en la palabra de Dios. Tras haber leído la increíble historia de Desmond Doss, estoy seguro que varios lectores sienten interés por saber más sobre la religión de Desmond, a la cual se anclaba con tanta devoción. ¿Qué, y quiénes son, los Adventistas del Séptimo Día, y cuáles son sus creencias? En las próximas páginas, exploraremos las creencias que los adventistas tienen en común con el resto del mundo cristiano, y las creencias que los distinguen.

## Cristianos Bíblicos

No todo el que se dice ser Bautista, Metodista, Católico, o de cualquier otra denominación, ejemplifica con fidelidad esa denominación, ni comprende en cada detalle lo que enseñan. Y cualquier iglesia puede verse atacada por personas que aseveran haber descubierto errores entre sus enseñanzas.

Por lo tanto, para acertar las verdaderas creencias de una denominación, es necesario examinar sus creencias básicas. El primer credo fundamental Adventista del Séptimo Día afirma:

"Las Sagradas Escrituras, que abarcan el Antiguo y el Nuevo Testamento, constituyen la Palabra escrita de Dios, transmitida por inspiración divina mediante santos hombres de Dios que hablaron y escribieron siendo impulsados por el Espíritu Santo. Por medio de esta palabra, Dios ha comunicado a los seres humanos el conocimiento necesario para alcanzar la salvación. Las Sagradas Escrituras son la infalible revelación de la voluntad divina. Son la norma del carácter, el criterio para evaluar la experiencia, la revelación autorizada de las doctrinas, y un registro fidedigno de los actos de Dios realizados en el curso de la historia".[7]

Los adventistas, en común con el resto del mundo cristiano, creen que Jesús personalmente elevó la importancia de la palabra de Dios. Él dijo, "El cielo y la tierra pasarán, pero mis palabras no pasarán" (Mateo 24:35). También dijo, "No sólo de pan vivirá el hombre, sino de toda palabra que sale de la boca de Jehová" (Mateo 4:4). Esta creencia fundacional es el marco para todas sus demás enseñanzas. Los Adventistas del Séptimo Día creen que toda enseñanza de una iglesia, un pastor, un maestro, o un profeta debe medirse por la Biblia, que es la palabra de Dios. Por esta razón, Desmond sólo ocupó un libro, la Biblia, para mantener la razón a través de las horrendas experiencias de la Segunda Guerra Mundial.

## Descubriendo a Dios

A veces Hollywood se toma libertades, dramatizando relatos verídicos para atraer al público, pero al hacerlo el personaje auténtico se pierde detrás de escenas ideadas. Lo mismo ha sucedido con Dios. Se han presentando tantas ideas falsas sobre el carácter de Dios que la gente halla difícil entender lo que desea realmente el Creador.

Los Adventistas del Séptimo Día sostienen que la única fuente de la verdad acerca de Dios es la Biblia, y que dentro de sus páginas uno descubrirá que el cielo envió un don a nuestro mundo para eliminar toda duda tocante a la naturaleza de Dios: el don de Cristo Jesús. El foco central de las escrituras es una revelación de un Dios amante dado a conocer mediante Jesús, el Hijo de Dios. Los adventistas creen:

"Dios el Hijo Eterno es uno con el Padre. Por medio de él fueron creadas todas las cosas; El revela el carácter de Dios, lleva a cabo la salvación de la humanidad y juzga al mundo. Aunque es verdaderamente Dios, sempiterno, también llegó a ser verdaderamente hombre, Jesús el Cristo".[8]

---

7   La lista de las ventiocho creencias fundamentales de los Adventistas del Séptimo Día se encuentra en línea https://www.adventist.org/es/creencias/

8   http://wi.adventist.org/article/179/about-us/beliefs/lo-que-creemos

Además, los adventistas creen en la Trinidad. Aunque el término no se encuentra en la Biblia, los adventistas creen que Dios el Padre, Dios el Hijo, y Dios Espíritu comprenden la totalidad del Dios infinito. Siendo así, los adventistas no creen que Jesús fue un ser creado. Los adventistas creen que la Biblia enseña que Jesús siempre existió (Juan 1:1–3) y que a través de Cristo fueron hechas todas las cosas (véase Hebreos 1:1, 2).

Tampoco creen en el Espíritu Santo como solo una fuerza dinámica impersonal que anda flotando por ahí y es utilizada por Dios. La Biblia enseña que el Espíritu Santo es una persona. Jesús dijo, "Pero cuando venga el Espíritu de verdad, él os guiará a toda la verdad" (Juan 16:13). El Espíritu Santo es considerado igual con Dios el Padre y Dios el Hijo, siendo que Jesús incluyó al Espíritu en su instrucción sobre el bautismo: "En el nombre del Padre, del Hijo, y del Espíritu Santo" (Mateo 28:19).

## La creación

Ligado íntimamente al entendimiento adventista de Dios está el relato de los orígenes humanos. Los Adventistas del Séptimo Día creen que Dios es el creador de todas las cosas y que en la Biblia ha proporcionado un relato verídico de Su obra al crear nuestro mundo. Según las escrituras, "En seis días hizo Jehová los cielos y la tierra, el mar, y todo lo que en ellos hay" (Éxodo 20:11).

Y fue por medio de Jesús, Dios el Hijo, que el mundo se formó. "Dios, habiendo hablado muchas veces y de muchas maneras en otro tiempo a los padres por los profetas, en estos postreros días nos ha hablado por el Hijo, a quien constituyó heredero de todo, y por quien asimismo hizo el universo" (Hebreos 1:12).

Existen, en la ciencias como en la geología, evidencias que afirman la existencia de un diseñador divino. Crecientes números de científicos[9] creen que la tierra no fue un accidente cósmico que evolucionó a través de miles de millones de años. En lugar de eso, "Por la fe entendemos haber sido constituido el universo por la palabra de Dios, de modo que lo que se ve fue hecho de lo que no se veía" (Hebreos 11:3). Así, los adventistas han concluido que Dios el Hijo no dependió de materia preexistente al formar el universo.

Algunos consideran el relato de la creación como algo de poca importancia, pero los adventistas creen que una búsqueda minuciosa de los primeros dos capítulos de Génesis prevén muchas de las enseñanzas y valores clave que se encuentran en el resto de la Biblia. Por ejemplo, la creación nos

---

9     Véase http://creation.com/creation-scientists y http://www.christiananswers.net/q-eden/edn-scientists.html

recuerda que Dios es el hacedor de todas las cosas, y que somos sus hijos. Porque el Señor es el creador, Él y solo Él es digno de adoración.

La creación además nos enseña que en el séptimo día Dios terminó su obra y bendijo el día, haciéndolo santo. El sábado es un monumento conmemorativo de la creación, y cuando los creyentes se reúnen para el culto cada semana, recuerdan que nuestro mundo fue creado por un Dios amante, y no por una fuerza téorica llamada el Big Bang, en teoría ocurrida hace millones de años.

## Un breve relato del movimiento

En la primera parte del siglo XIX, un gran reavivamiento conmocionó gran parte de los Estados Unidos y partes de Europa. Se le conoce como el Segundo Gran Despertar. Se inició por el año 1790 y obtuvo su mayor crecimiento después de 1820, especialmente entre las congregaciones Bautistas y Metodistas. Dentro de este reavivamiento surgió un movimiento con enfoque especial al pronto regreso de Jesucristo en los 1830 y 1840. El movimiento encendió con las prédicas de William Miller, un sincero evangelista Bautista.

Tras varios años en un estudio a profundidad sobre el libro de Daniel, Miller concluyó que Jesús regresaría en octubre de 1844. Cuando el tiempo pasó y Cristo no regresó, muchos perdieron interés en las profecías de Daniel y el Apocalipsis. Este evento llegó a ser conocido como el gran chasco, y fue un punto de inflexión. Algunos participes del movimiento, provenientes de varias denominaciones, concluyeron que había un malentendido en su comprensión de las profecías, por lo cual se congregaron para estudiarlas con mayor profundidad. Haciendo a un lado sus diferencias de doctrina, abrieron la Palabra de Dios y en oración examinaron las Escrituras.

Al estudiar con corazones abiertos, este insignificante grupo de creyentes quedó asombrado al descubrir que las enseñanzas de las iglesias se basaban en tradición humana, y no en la Biblia. Por los siguientes quince años se reunieron en una serie de conferencias bíblicas e identificaron varias verdades bíblicas olvidadas desde el tiempo de la iglesia cristiana primitiva. De su minucioso estudio surgió la Iglesia Adventista del Séptimo Día, un movimiento que hoy cuenta con 19 millones de personas.[10]

Hoy en día, los Adventistas del Séptimo Día se reúnen en más de 80.000 iglesias al alrededor del mundo. Su obra progresa en 215 de los 237

---

10    Membresía a partir del año 2014: 18,479,257 según https://www.adventist.org/en/information/statistics/article/go/-/seventh-day-adventist-world-church-statistics-2014/

países y áreas del mundo reconocidos por las Naciones Unidas. Los adventistas publican y predican en 974 lenguajes, y le proporcionan educación a 1.8 millones de niños y jóvenes en más de 7.700 escuelas e instituciones de formación. Y quince centros de telecomunicaciones y sesenta y dos casas publicadoras ayudan a esparcir su mensaje en todo el mundo.

## El nombre Adventista del Séptimo Día

Con más de 40.000 denominaciones cristianas[11] y nombres similares, puede ser confuso distinguir las creencias de las diferentes iglesias. ¿Por qué el nombre Adventista del Séptimo Día?

El término séptimo día indica la creencia adventista que Dios desea que todos guardemos sus Diez Mandamientos, incluyendo el cuarto, que dice: "Acuérdate del día de reposo para santificarlo", (Éxodo 20:8). Es por eso que los adventistas se reúnen en sábado, séptimo día de la semana. No encuentran en la Biblia ninguna evidencia o relato que Dios haya cambiado su día al domingo o a ningún otro día de la semana.

El sábado es un tiempo especial cada semana en el cual los adventistas se reúnen para adorar a Dios, confraternizar con otros feligreses, y contemplar la creación de Dios. Es un día de descanso, que además conmemora que es Dios quien salva y santifica a su pueblo (Ezequiel 20:12). Los Adventistas del Séptimo Día guardan el sábado, no para ganarse la salvación, sino como una respuesta de amor a un creador que desea reunirse con su pueblo.

El término adventista describe la creencia en el pronto regreso o advenimiento de Jesús. La mayoría de los cristianos bien podrían describirse a sí mismos como adventistas, siendo que casi todas las denominaciones enseñan que Jesús volverá otra vez. En el libro de Apocalipsis, en más de una ocasión, Cristo afirma, "¡Yo vengo pronto!" (Apocalipsis 3:11; Apocalipsis 22:7, 12, 20). Además, Jesús dijo a sus discípulos: "Voy, pues, a preparar lugar para vosotros. Y si me fuere y os preparare lugar, vendré otra vez" (Juan 14:2, 3).

Los discípulos y los apóstoles con frecuencia mencionan el pronto regreso de Cristo y la brevedad de esta vida. Amonestaron a todos a que se prepararan para el inminente regreso de Jesús. Aunque nadie sabe la fecha exacta de su venida, las profecías de la biblia nos dan señales para que podamos saber cuando su venida está cerca. Los adventistas creen que Dios está preparando a un pueblo para ese evento trascendental, y que el Señor ha levantado un movimiento en esta última generación, el tiempo

---

11    http://www.gordonconwell.edu/resources/documents/StatusOfGlobalMission.pdf

de Laodicea mencionado en Apocalipsis 3:14–22, con el fin de ayudar al mundo a prepararse para el advenimiento de Jesús. Los Adventistas del Séptimo Día esperan con ansias el regreso de su venida como una novia espera la venida de su prometido.

# EL SACRIFICIO MÁS GRANDE

**D**esmond Doss arriesgó su vida en la Isla de Guam, en Leyte, Filipinas, y en la Isla de Okinawa en Japón, todo por el afán de salvar a otros. Sus abnegados actos de heroísmo no fueron con el fin de ganarse la atención, sino como resultado natural de su compasión por sus congéneres. En su afán por brindar alivio y confort a quienes lo rodeaban, hasta intentó auxiliar a heridos enemigos. Aunque fue un hombre imperfecto, su vida reflejó a Jesús, quien, como dice el término militar, pagó el precio supremo para salvar a la humanidad de una muerte eterna.

Los Adventistas del Séptimo Día creen que Jesús Cristo Jesús vivió una vida perfecta, sin pecado, en obediencia a la voluntad de Dios. Por medio de su vida, muerte, y resurrección, proporciona el medio para la salvación de la humanidad. Su sacrificio pagó la penalidad de la muerte, y todo el que por fe acepte su gran sacrificio puede disfrutar de vida eterna. El don de la salvación no se puede ganar por las buenas obras. Se ofrece libremente a todo pueblo, sin distinción de raza, género, o trasfondo social.

Los adventistas creen que la Biblia es el relato que muestra cuanto la salvación del ser humano le concierne al cielo. El Padre, el Hijo, y el Espíritu Santo colaboran entre sí para atraer a la humanidad caída a la armonía con el Creador. El amor de Dios por nuestro mundo se expresa con mayor claridad en el famoso versículo Bíblico que dice: "Porque de tal manera amó Dios al mundo, que ha dado a su Hijo unigénito, para que todo aquel que en él cree, no se pierda, mas tenga vida eterna" (Juan 3:16). El diablo pinta a Dios como un ser iracundo que busca constantemente castigar a la gente por sus pecados. Pero la Biblia revela a un Dios que amó tanto a la humanidad perdida, que en forma voluntaria dio a su Hijo por salvarnos. Escasamente comprendemos un sacrificio de tales proporciones, y no obstante es ese amor el que conmueve a nuestros corazones a entregarnos humildemente a Dios. Ver a Jesús sufriendo sobre la cruz pone de relieve nuestra debilidad y egoísmo, y nos hace desear ser iguales a él.

Los adventistas creen que cuando nos entregamos al Señor por la fe, recibimos la adopción de hijos e hijas de Dios. Cuando confesamos nuestros pecados con humildad y expresamos el deseo de alejarnos de una forma de vivir centrada en el yo, el Espíritu Santo entra en nuestros corazones e inicia la obra de escribir en nuestras mentes la ley de amor divina. Somos transformados y recibimos poder para vivir vidas puras. Este cambio de vida continúa al permanecer diariamente en Jesús, y nos da la seguridad de que somos salvos ahora, y hasta el día final del juicio.

Uno de los muchos mitos acerca de los Adventistas del Séptimo Día es que creen que son los únicos que se van a salvar. Nada podría estar mas lejos de la verdad. La realidad es todo lo contrario. Los adventistas creen que la mayoría de los seguidores de Dios están actualmente esparcidos entre todas las denominaciones y afirmaciones de fe. Hay muchos cristianos auténticos en otras iglesias que no comprenden completamente todo lo que la Biblia enseña, pero sus corazones están en armonía con Dios (véase Juan 10:16). En todas las iglesias hay creyentes piadosos que aman al Señor. También hay personas con muy poco conocimiento de Dios que obedecen su sentido del deber. Puede que nunca hayan oído el nombre de Jesús, pero estarán en el reino del cielo (Romanos 1:18–20). Los adventistas además creen que al desenvolverse los eventos finales de la historia del mundo y al volverse más aguda la guerra de Satanás contra del pueblo de Dios, un conocimiento más claro de la verdad se pondrá en alto delante del mundo, y quienes realmente deseen seguir a Jesús se alejarán de toda iglesia, creencia religiosa, u organización que se oponga a la verdad Bíblica (Apocalipsis 18:4), para unirse en fidelidad con quienes, "guardan los mandamientos de Dios y tienen la fe de Jesús" (Apocalipsis 14:12).

## El bautismo

Los Adventistas del Séptimo Día creen en seguir el ejemplo de Jesús en el bautismo por inmersión. El significado de la palabra traducida *bautizo* en el Nuevo testamento es sumergir, no rociar, como se practica en muchas iglesias cristianas alrededor del mundo. Este acto sagrado, que sella nuestra relación de amor con Cristo, simboliza tres eventos significativos en la vida de todo verdadero creyente: (1) la muerte al pecado, (2) nacimiento a vida nueva en Cristo, (3) matrimonio a Cristo por toda la eternidad. Esta unión espiritual se fortalecerá y endulzará con el paso del tiempo, mientras el amor del creyente siga creciendo.

Cuando Cristo fue joven, fue bautizado por Juan el Bautista en el río Jordán (Mateo 3:13–15). Al concluir Su ministerio terrenal, Jesús dijo a sus discípulos: "Id, y haced discípulos a todas las naciones, bautizándolos en el nombre del Padre, y del Hijo, y del Espíritu Santo" (Mateo 28:19). También enseñó, "El que creyere y fuere bautizado, será salvo; mas el que no creyere, será condenado" (Marcos 16:16).

La Iglesia Adventista no es la única denominación que cree en el bautismo por inmersión. Los Bautistas, los Pentecostales unidos, los Anabaptistas, y los Discípulos de Cristo comparten esta enseñanza. Los arqueólogos bíblicos han descubierto representaciones de bautismo por inmersión en agua en la época de la iglesia primitiva.[12]

## La Santa Cena

Al igual que varias iglesias cristianas, los Adventistas del Séptimo Día celebran la santa cena, conocida también como el servicio de comunión, con panes sin levadura y el jugo de la vid no fermentado. Al celebrar la Pascua con sus discípulos, Cristo nos dio la Santa Cena como sustituto de la Fiesta de la Pascua. Siendo que la levadura simboliza el pecado, los panes sin levadura y el jugo de la vid no fermentado representan la vida pura y sin mácula de Jesús.

Por costumbre, el servicio se celebra cuatro veces al año en la Iglesia Adventista, y se inicia en forma única con un servicio de lavamiento de pies, según la forma en que Cristo lavó los pies de sus discípulos. La Biblia dice que Jesús: "Se levantó de la cena, y se quitó su manto, y tomando una toalla, se la ciñó. Luego puso agua en un lebrillo, y comenzó a lavar los pies de los discípulos, y a enjugarlos con la toalla con que estaba ceñido" (Juan 13:4, 5). Los adventistas celebran este servicio como preparación del corazón para lo que ha de seguir. Después de lavarles los pies a sus discípulos, Cristo dijo: "Pues si yo, el Señor y el Maestro, he lavado vuestros pies, vosotros también debéis lavaros los pies los unos a los otros. Porque ejemplo os he dado, para que como yo os he hecho, vosotros también hagáis" (versículos 14, 15). La participación en la santa cena con un trozo de pan sin levadura y la bebida de jugo de uva no fermentado, simboliza que uno acepta el cuerpo y la sangre de Jesús, quebrantados y derramados por la humanidad. El tomar y participar de estos emblemas representa nuestra fe en lo que Cristo ha hecho por nosotros. La intención es que el servicio fortalezca la confianza personal en Jesús a la par que une nuestros corazones con otros creyentes. Cuando este servicio especial se celebra en la Iglesia Adventista del Séptimo Día, no se limita a los adventistas, sino que todo creyente cristiano puede participar.

La Cena del Señor se celebra en memoria del gran sacrificio de Cristo por cada uno de nosotros. El servicio es un momento para la reflexión deliberada, pero imbuido de gozo cuando los partícipes contemplan la muerte de Jesús para salvar a un mundo de los ataques mortíferos de Satanás. El Señor Jesús no vino a la tierra a poner su vida en un campo de batalla. No, él dio su vida libremente, para que pudiésemos ser salvos.

---

12   https://es.wikipedia.org/wiki/Bautismo

# ESPERANZA EN TIEMPOS ANGUSTIOSOS

Para los soldados que combatieron en las sangrientas batallas en los teatros de guerra de Europa y el Pacífico durante la Segunda Guerra Mundial, debió parecerles el fin del mundo. Rodeados de cataclismos explosivos, el aterrador estruendo de las ametralladoras, y los alaridos de compañeros y colegas que morían a su alrededor, vivieron experiencias traumáticas que nunca olvidarían. Y para las 60 millones de personas que murieron en la Segunda Guerra Mundial, realmente fueron sus últimos días.

Los Adventistas del Séptimo Día creen que tiempos más angustiosos están por delante. Están convencidos que vivimos en los últimos días de la historia del mundo.

La Biblia proporciona varias señales mostrando que nos acercamos al pronto regreso de Jesús. Una de las señales de Cristo fue, "Se levantará nación contra nación, y reino contra reino" (Lucas 21:10). Aunque varias guerras han marcado el transcurso de la historia humana, jamás se habían extendido a una catástrofe global. La primera y la Segunda Guerra Mundial causaron más muertes y sufrimiento que todas las guerras previas combinadas. El Papa Francisco afirma que, en su opinión, la Tercera Guerra Mundial ya comienza por partes en el reciente surgimiento de ataques terroristas alrededor del mundo.

A pesar de todo el mal y el dolor que contemplamos, los adventistas anticipan la esperanza del pronto regreso de Jesús. Creen que Dios los acompañará a través de una tribulación para luego llevarlos al cielo cuando Cristo regrese a la tierra. Será un día espantoso para quienes lo rechazaron, pero un día glorioso para quienes han puesto su confianza en Dios. Al igual que Desmond, los adventistas creen en la promesa divina: "Me invocará, y yo le responderé; con él estaré yo en la angustia; lo libraré y le glorificaré" (Salmo 91:15).

## El fin del mundo

Los Adventistas del Séptimo Día creen literalmente el pronóstico de Jesús acerca del fin de esta era. En Mateo 24 y también en Marcos 13 y en

Lucas 21, los discípulos de Jesús Cristo le preguntaron, "¿Cuándo serán estas cosas, y qué señal habrá de tu venida, y del fin del siglo?" (Mateo 24:3). Jesús dio a sus seguidores una lista de predicciones para que supieran cuando su venida estaría cerca. Pero nunca dio una fecha exacta. "Pero el día y la hora nadie sabe, ni aun los ángeles de los cielos, sino solo mi Padre" (verso 36).

Un mito prevaleciente acerca de los Adventistas del Séptimo Día es que han intentado pronosticar el día del regreso de Cristo. Eso simplemente no es verdad. La iglesia nunca ha hecho tal aseveración. William Miller, un predicador Bautista, predijo que Jesús regresaría en 1844, pero la Iglesia Adventista no existía en ese tiempo. Se estableció formalmente en 1863, casi veinte años más tarde.

La Biblia revela varios tipos de señales que nos anuncian que el fin del mundo está cerca. Algunas indicaciones se verán en el mundo natural, con un creciente número de terremotos y otros desastres. Otros se revelan en el mundo religioso, incluyendo un gran despertar religioso, y al mismo tiempo, entre otros, un declive en el interés religioso. Además, el dramático crecimiento en misiones cristianas alrededor del globo, la traducción de la Biblia en varios lenguajes, y las buenas nuevas del regreso de Cristo alrededor del mundo, nos anuncian que Jesús pronto vendrá. Lamentablemente, otras señales predicen un resurgimiento del mal, homicidios, crímenes, la inmoralidad, guerras, hambres, y persecución religiosa.

## La venida de Cristo

Los Adventistas del Séptimo Día creen que el regreso de Cristo será literal, personal, visible, y global. Desmond creía que cuando Cristo Jesús regrese, los justos muertos resucitarán, y que, junto a los justos vivos, serán glorificados con nuevos cuerpos, y que juntos ascenderán al cielo. Pero los impíos morirán.

Los adventistas también creen en la certidumbre del regreso de Jesús. Cristo dijo: "Vendré otra vez" (Juan 14:3). Aunque la Biblia predice el surgimiento de falsos cristos y falsos profetas, Jesús volverá "así también", como se fue al cielo (Hechos 1:11). El mismo salvador personal volverá como un ser real y tangible, no como una ente espiritual.

La biblia enseña que su regreso será visible. "He aquí que viene con las nubes, y todo ojo le verá" (Apocalipsis 1:7), y que su regreso será audible, "con gran voz de trompeta" (Mateo 24:31). Será un cataclismo global. Ningún reino humano resurgirá después del regreso de Cristo.

Mientras que los cristianos se darán cuenta de la cercanía de la venida de Jesús, la mayor parte del mundo será sorprendido. La Biblia dice:

"Porque vosotros sabéis perfectamente que el día del Señor vendrá así como ladrón en la noche" (1 Tesalonicenses 5:2). Jesús dijo: "Por tanto, también vosotros estad preparados; porque el Hijo del Hombre vendrá a la hora que no pensáis" (Mateo 24:44).

Algunos toman esta comparación a un ladrón en el sentido de que el regreso de Cristo será en secreto, pero el énfasis del Apóstol Pablo es que, para la mente mundana, la venida de Cristo será tan inesperada como la de un ladrón. Los adventistas no creen en la enseñanza del "rapto secreto", popularizada en la serie de películas *Left Behind*. Están de acuerdo en que el pueblo de Dios será elevado en las nubes, pero creen, basándose en la Biblia, que la venida de Cristo será todo menos secreta.

## El Milenio

El libro de Apocalipsis proporciona información detallada sobre los acontecimientos que preceden a la venida de Cristo, como también lo que sucederá después. Los Adventistas del Séptimo Día creen que después del regreso de Cristo habrá un período de mil años, en el cual el pueblo de Dios vivirá y reinará con Jesús en el cielo. Este "milenio" (un término que no se encuentra en la Biblia, y que simplemente significa 1.000 años) será un tiempo en el cual la tierra estará desolada, cuando se juzgará a los muertos impíos. Según la Biblia, los adventistas son pre-milenialistas; es decir, creen que Jesús vuelve previo al inicio del milenio.

Al final de los mil años, los impíos serán resucitados, el juicio final se llevará a cabo, y luego los impíos, junto con Satanás y sus ángeles caídos, serán destruidos en el lago de fuego. Este castigo los consumirá por completo. Según la Biblia, de ellos no quedará rastro, excepto las cenizas (véase Malaquías 4:1–3). El universo quedará para siempre libre del mal y del pecado.

## La Tierra Nueva

Una vez que la tierra haya quedado purificada y el fuego haya extirpado por completo el pecado, los Adventistas del Séptimo Día creen que la tierra será hecha nueva, restaurada a su esplendor original, previo a la entrada del pecado al mundo (sin duda alguna, Desmond esperaba este evento con ansias). La tierra nueva será un lugar completamente real, en el cual los justos morarán con Dios. Será el hogar eterno de los redimidos, con un ambiente perfecto, libre de la enfermedad, el odio, y los desastres naturales. Todo sufrimiento y la muerte habrán quedado atrás, y el Señor mismo vivirá entre su pueblo. El dolor y la pérdida del pasado serán olvidados, porque Dios enjugará toda lágrima (Apocalipsis 21:4).

La capital de la tierra nueva será llamada la Nueva Jerusalén. La ciudad es hermosa y descrita en la Biblia como: "Una esposa ataviada para su marido" (Apocalipsis 21:2). La gloria de Dios ilumina la ciudad, que esta construida de las piedras más preciosas, y oro tan puro que es, "claro como el cristal" (verso 18). Del trono en el centro de la ciudad fluye un río de agua de vida, y el árbol de la vida crece en ambos lados del río. Los redimidos tienen acceso al fruto de este árbol y viven para siempre.

Sobre todo, los adventistas creen que cuando la tierra sea hecha nueva, la gran batalla entre el bien y el mal habrá terminado para siempre. No más luchas, muerte, o guerras. El pecado y los pecadores habrán pasado a la historia, y las señales de una sociedad en crisis nunca más se verán en la tierra. El universo entero estará limpio y el poder armonioso de Dios reinará en todo lugar. Desde la partícula más pequeña hasta la más gigantesca de las galaxias, toda la creación declarará que Dios es amor.

# PREPARATE A ENCONTRARTE CON EL CREADOR

**D**esmond estuvo siempre muy consciente de su vulnerabilidad ante la muerte, especialmente como médico de combate en combate sin armas. Por lo tanto, trató de estar siempre listo para encontrarse con su Hacedor. De hecho, ninguno de nosotros es inmune a la muerte. La muerte finalmente llegará a la puerta de todo ser humano.

Pero, ¿qué ocurre al morir? ¿Acudimos inmediatamente al cielo o al infierno? ¿A algún otro sitio temporal entre ambos? Al dar el último suspiro, ¿volvemos inmediatamente al polvo? ¿Hay vida después de la muerte? Examinemos las creencias de Desmond y de los Adventistas del Séptimo Día sobre el estado de los muertos, y también lo que la Biblia enseñanza sobre el infierno.

## Qué ocurre al morir

Una de las enseñanzas que los adventistas interpretan de manera muy diferente a otros cristianos, es lo que sucede cuando la persona muere. Los adventistas creen que al morir, entramos a un estado de inconsciencia que dura hasta la resurrección. Jesús se refirió varias veces a este estado mediante el uso de la palabra "sueño" (ver Juan 11:11–14). La Biblia enseña que la muerte es un tipo de descanso tranquilo hasta una de las dos resurrecciones.

Algunos utilizan 2 Corintios 5:8 para enseñar que cuando no estamos en el cuerpo, estamos presentes con el Señor; que el espíritu del cristiano va directamente al cielo al morir, pero su espíritu y cuerpo se reanudan en ocasión de la segunda venida de Cristo. Mientras que muchas personas creen este punto de vista, los adventistas no creen que tenga fundamento Bíblico.

Es cierto que estar ausente del cuerpo es estar presente con el Señor: Si usted es salvo y muere, su siguiente pensamiento consciente será en la resurrección al ser resucitado y ver el rostro de Jesús. Las Escritura explican que, "los muertos nada saben", (Eclesiastés 9: 5), es decir, uno no está consciente de estar en la tumba.

Cuando Jesús le dijo a Marta, "[Lázaro] resucitará" (Juan 11:23), ella respondió: "Yo sé que resucitará, en el día postrero" (verso 24). Ella no se imaginaba que Lázaro estuviera vivo, y creía que la resurrección ocurriría "en el día postrero". Pero ese día es aun futuro.

Varios de los Reformadores Protestantes creían que cuando la gente muere, permanece en la tumba hasta la mañana de la resurrección cuando Cristo regrese. Fue solo en base a las enseñanzas mitológicas de la edad media que muchos llegaron a creer en la inmortalidad de un alma que nunca muere. Nótese esta cita de Martín Lutero del libro, *The Christian Hope*, La esperanza cristiana, por el doctor T. A. Kantonen, página 35: "Porque así como el hombre se queda dormido y llega de forma inesperada al despertar de la mañana, sin saber lo que le ha transcurrido, así nos levantaremos de pronto en el día postrero, sin saber cómo hemos llegado a la muerte y a través de la muerte." [13]

William Tyndale también creía que el alma es mortal, y que al morir, se está inconsciente, durmiendo en la tumba hasta el regreso de Jesús. Muchos de los grandes reformadores creían en la interpretación Adventista del Séptimo Día sobre el estado de los muertos.

Siendo que "la paga del pecado es muerte", (Romanos 6:23), y: "Por cuanto todos pecaron y están destituidos de la gloria de Dios", (Romanos 3:23), así todos están sujetos a la muerte. El último enemigo por ser destruido será la muerte. Pablo explicó, "Porque así como en Adán todos mueren, también en Cristo todos serán vivificados", (1 Corintios 15:22). ¿Y cuando viviremos? Pablo nos dio la respuesta: "Luego los que son de Cristo, *en su venida*" (verso 23, énfasis añadido).

La Biblia presenta unos doce relatos de personas que fueron levantadas de la muerte, relatos que demuestran el poder de Dios de resucitar a su pueblo en la venida de Cristo. En ningún solo caso se nos dice que la persona, al levantarse, hizo algún comentario acerca de haber estado consciente en la tumba. Seguramente otros les habrían preguntado: "¿Qué se siente estar muerto? ¿Qué viste?" El registro Bíblico no registra ninguna cosa tal puesto que las Escrituras enseñan que cuando el ser muere, sus planes perecen (véase Salmos 143:3, 4).

## El infierno

Muchos acusan a los Adventistas del Séptimo Día de no creer en el infierno. De hecho los adventistas no sólo creen que los impíos arderán en el infierno, sino que en cierto sentido, ellos conciben de un infierno más infierno que los Bautistas. Los Bautistas creen en un infierno que hierve a los pecadores en un fuego lento para siempre, pero los adventistas creen en

---

13    Traducción libre.

un infierno cuyas llamas abrasan con un calor que acaba completamente con los impíos. Los adventistas afirman que la Biblia no enseña que los pecadores son torturados en un infierno eterno.

Durante la edad media, era muy rentable para la iglesia asustar a la gente con la idea de que los impíos eran atormentados por la eternidad. Y muchos hasta enseñan que al mismo instante de morir, el impío, aún previo al juicio, se ve consignado al infierno para ser atormentado eternamente por los pecados de una vida. Significa que si la persona solo vivió 20 años, será torturada por millones y millones de años, sin fin. Pero Jesús no enseñó así. Cristo enseñó que tenemos dos opciones. Creer y vivir o no creer y perecer (véase Juan 3:16). El diccionario define la palabra "perecer" como: "Acabar, fenecer o dejar de ser". [14]

Al igual que Desmond, los adventistas señalan la primera mentira de Satanás a Eva en el Jardín del Edén, cuando dijo, "Ciertamente *no* moriréis" (Génesis 3:4, énfasis añadido) y concluyen que la doctrina de un infierno que arde para siempre es de origen satánico. Dios anunció a Adán y Eva: "En el día que de él comieres, ciertamente moriréis" (Génesis 2:17). La enseñanza no bíblica de un alma inmortal lleva automáticamente a la creencia también no bíblica de un infierno que arde para siempre.

Algún día, al regresar Jesús, los que creen en él se revestirán de inmortalidad (1 Corintios 15:53). En la resurrección, los santos reciben el don de vida eterna. En el juicio final los impíos serán echados al infierno junto con Satanás y sus ángeles caídos. Otro término usado en la Biblia para el infierno es, "el lago de fuego", y es descrito como, "la muerte segunda", en la cual la muerte misma es destruida para siempre (Apocalipsis 20:14). La Biblia dice que el fuego los consumirá (Malaquías 4:1), que de Dios saldrá fuego del cielo, consumiendo a los impíos (Apocalipsis 20:9).

Los Adventistas del Séptimo Día no están solos al enseñar que el fuego del infierno hace su obra de destrucción para luego apagarse. También fue la doctrina de John Stott, uno de los teólogos evangélicos más influyentes de nuestro tiempo, y varios líderes cristianos de diversas denominaciones han admitido privadamente que están de acuerdo con los adventistas tocante a la doctrina del infierno. Un número creciente de eruditos bíblicos han llegado a reconocer que la idea de un Dios que tormenta a los pecadores para siempre no es sino una antigua distorsión teológica medieval que se ha inmiscuido en muchas iglesias de nuestro tiempo. [15]

---

14  *Diccionario de la Real Academia Española* en http://dle.rae.es/?id=SZ1r2FF

15  Véase Edward William Fudge, See Edward William Fudge, *The Fire that Consumes: A Biblical and Historical Study of the Doctrine of Final Punishment* (Eugene, OR: Wipf and Stock Publishers, 2011).

Cuando Desmond le dijo a su colega que necesitaba prepararse para encontrarse con su Hacedor, no quiso decir que se hallaría instantáneamente delante del trono de Dios en juicio, o que sería enviado inmediatamente al cielo o al infierno. Quiso decir que al morir sellaría para siempre su decisión, o en armonía con Dios o en su contra. Y es que después de la muerte no hay una segunda oportunidad. Al entrar a la tumba hemos forjado nuestra decisión, una decisión permanente. La enseñanza de un fuego infernal que atormenta a los pecadores para siempre, aun cuando solo vivieron unos cuantos años, presenta un cuadro sádico de Dios. Apocalipsis enseña que después del juicio ya no habrá más llanto, ni dolor (Apocalipsis 21:4). La Biblia es clara: con el fin de salvarnos, Jesús vino a morir en la cruz a pagar la penalidad de nuestros pecados. Dios no busca maneras de excluir a nadie del cielo, para enviarlos a un tormento eterno. Todo lo contrario: ha hecho todo lo posible por mantener abiertas las puertas del cielo e invitarnos a todos a entrar.

# OBEDIENTE A LAS ÓRDENES

C uando era niño, Desmond quedó fascinado por un pequeño cuadro de los Diez Mandamientos que colgaba de la pared en la sala de la casa de sus padres. Cuando sus padres no estaban en casa, el pequeño Desmond se trepaba sobre una silla a contemplar el cuadro. Se le inculcó que estos reglamentos del cielo no podían hacerse a un lado. La lealtad a uno de esos mandamientos fue probada severamente cuando Desmond sirvió en las Fuerzas Armadas—"Acuérdate del día de reposo para santificarlo" (Éxodo 20:8). Cuando las leyes de Dios y las órdenes de sus oficiales estaban en conflicto, Desmond por costumbre obedecía "las órdenes superiores".

Muchos han tachado a los Adventistas del Séptimo Día de ser legalistas por su creencia en la naturaleza eterna de la ley de Dios. Pero en base a fundamentos Bíblicos, ellos creen que el Decálogo no fue abolido, sino que permanece como una expresión eterna del amor, la voluntad, y el propósito de Dios para nuestras vidas. En el corazón del Decálogo está el cuarto mandamiento, que manda recordar el sábado. ¿Será que los creyentes que siguen las leyes de Dios lo hacen con el fin de ganarse la salvación?

## La ley de amor divina

Otro mito sobre los Adventistas del Séptimo Día es que creen que se salvarán por guardar la ley. La Biblia enseña claramente que, "Porque por gracia sois salvos por medio de la fe; y esto no de vosotros, pues es don de Dios; no por obras, para que nadie se gloríe" (Efesios 2:8, 9). Los adventistas enseñan que la salvación es toda por gracia y nada de obras.

La salvación no puede ser por nuestros esfuerzos en guardar los Diez Mandamientos. No podemos nunca esperar ganar entrada al reino de Dios por dejar de mentir, por no robar, o por guardar el sábado. Ninguna de nuestras obras puede expiar nuestros pecados. Los adventistas creen que: "Dios hizo que Cristo, que no conoció pecado, fuera hecho pecado por nosotros, para que nosotros pudiésemos ser hechos justicia de Dios en él".[16]

---

16   https://www.adventist.org/es/creencias/la-salvacion/la-experiencia-de-salvacion/

Porque los Adventistas del Séptimo Día creen que los Diez Mandamientos no fueron abolidos, es posible que muchos confundan ese énfasis en la importancia de la ley con la idea de que somos salvos por guardar la ley. La verdad es que todos somos salvos por la gracia y que el fruto de la verdadera fe nos lleva a la obediencia por el poder del Espíritu Santo.

Los adventistas no guardan la ley para ser salvos, sino porque han sido salvos. El salvo puede ser salvo solo por gracia por medio de la fe, y el fruto de una fe genuina es la obediencia. En cierta ocasión, Jesús dijo, "Si me amáis, guardad mis mandamientos" (Juan 14:15). Nótese el orden del versículo "Si me amáis". El amor, y no el deseo de salvarse, es el poder motivador en el guardar los mandamientos.

Jesús dijo: "Guardad mis mandamientos". No mandó guardar el 50% o el 80%, sino todos. Juan escribió, "El que dice: Yo le conozco, y no guarda sus mandamientos, el tal es mentiroso, y la verdad no está en él" (1 Juan 2:4).

Aunque muchos consideran la ley de Dios en forma negativa porque descubre el pecado en nuestras vidas, los adventistas consideran la ley divina como el medio que nos acerca a Cristo. Pablo escribió: "La ley es santa, y el mandamiento santo y justo y bueno". (Romanos 7:12). Y agregó: "Por la ley es el conocimiento del pecado" (3:20). Los adventistas no ven la ley como algo restrictivo, sino como un garante de libertad. "Mas el que mira atentamente en la perfecta ley, la de la libertad, y persevera en ella, no siendo oidor olvidadizo, sino hacedor de la obra, éste será bienaventurado en lo que hace" (Santiago 1:25).

A Desmond nunca le gustó ser llamado un objetor de conciencia. Prefería ser llamado un cooperador de conciencia. Quería que la junta de reclutamiento de las Fuerzas Armadas supiera que él estaba más que dispuesto a defender a su país. Cuando su carta de reclutamiento finalmente llegó, su empleador en el astillero donde trabajaba le ofreció una excusa para que no tuviera que servir, pero él no estuvo dispuesto a eso.

De igual manera, los Adventistas del Séptimo Día no buscan la forma de no servir a Dios. Sienten una lealtad al Señor y buscan guardar los mandamientos con un corazón de amor. Entienden que es imposible obedecer la ley sin el poder del Espíritu Santo. Pero cuando reciben al Señor Jesús como rey del corazón, el resultado es un cambio de actitud hacia la ley. Con David, dicen: "El hacer tu voluntad, Dios mío, me ha agradado, y tu ley está en medio de mi corazón" (Salmos 40:8).

## Una señal de lealtad

En el centro de la ley de Dios está el cuarto mandamiento que dice, "Acuérdate del día de reposo para santificarlo. Seis días trabajarás y harás toda tu obra, más el séptimo día es reposo para Jehová tu Dios" (Éxodo 20:8–10). ¿Será esta una reliquia del Antiguo Pacto, un mandamiento aplicable sólo a los judíos? ¿O es una ley que fue modificada con la venida de Cristo?

Desmond creía que el sábado se estableció en la creación del mundo, mucho antes de que existiera el judío, y que sus bendiciones son para toda la humanidad. Después de los seis días de la creación, la Biblia dice, "Fueron, pues, acabados los cielos y la tierra, y todo el ejército de ellos. Y acabó Dios en el día séptimo la obra que hizo, y reposó el día séptimo de toda la obra que hizo. Y bendijo Dios al día séptimo, y lo santificó, porque en él reposó de toda la obra que había hecho en la creación". (Génesis 2:1–3).

Bendecir y santificar un día significa mucho más que declararlo un día magnífico. Dios santificó al día sábado. Es un tiempo sagrado al fin de la semana para acercarse a Dios y reconocer que él es nuestro creador y redentor.

El sábado no se hizo con el fin de ser una carga. Es un don de Dios para darnos tiempo de descanso y restauración, para la adoración y la hermandad, para recordar que no somos salvos por nuestras obras sino que descansamos en lo que Dios hizo por nosotros. Al guardar el sábado, demostramos nuestra lealtad a Dios al igual que un esposo demuestra su lealtad por su esposa. Dijo Dios: "Y les di también mis días de reposo, para que fuesen por señal entre mi y ellos, para que supiesen que yo soy Jehová que los santifico". (Ezequiel 20:12). Los adventistas creen que Satanás, el enemigo de la humanidad, busca difamar el nombre de Dios para así quebrantar la lealtad a Dios. Comprenden que habría un ataque contra la ley de Dios así como un atentado por cambiar el sábado. Una potencia se levantaría con la intención de, "cambiar los tiempos y la ley" (Daniel 7:25). En el período que siguió a la iglesia primitiva, la iglesia establecida comenzó a transigir, y poco a poco hizo el cambio del sábado al domingo.[17]

Así, el mandamiento más relegado al olvido es el cuarto mandamiento, aunque comienza diciendo, "*Acuérdate* del día de reposo para santificarlo" (Éxodo 20:8, énfasis añadido). Muchos han intentado hacer a un lado este mandato. Es interesante que el mandamiento que el mundo intenta olvidar es el único que Dios específicamente nos mandó recordar.

Nadie obtiene la salvación por guardar los mandamientos. Al contrario, la salvación nos lleva a guardar todos los mandamientos. No somos salvos por guardar el sábado del séptimo día, así como no somos salvos por

---

17  Desmond Doss explica este cambio en una conversación con otro medico de combate en, *The Unlikeliest Hero*, p. 34, 35.

no robar o por no cometer adulterio. Nuestro motivo al guardar la ley es que amamos a Dios y queremos obedecer su ley.

Isaías describe el motivo apropiado que debemos adoptar hacia el sábado y las bendiciones que Dios derramará sobre quienes se cuiden de no profanarlo, de la misma forma en que nos cuidamos de no pisotear la bandera nacional.

"Si retrajeres del día de reposo tu pie, de hacer tu voluntad en mi día santo, y lo llamares delicia, santo, glorioso de Jehová, y lo venerares, no andando en tus propios caminos, ni buscando tu voluntad, ni hablando tus propias palabras, entonces te deleitarás en Jehová. Y yo te haré subir sobre las alturas de la tierra, y te daré a comer la edad de Jacob tu padre, porque la boca de Jehová lo ha hablado" (Isaías 58:13, 14).

Al igual que Desmond, quien en cierta ocasión detuvo a un ejército entero en día sábado mientras oraba y hacía sus devociones, los adventistas consideran el poder guardar el sábado como un privilegio, pues no es un mandato penoso, sino un día de deleite.

# SANANDO Y SALVANDO VIDAS

Un malentendido común acerca de los Adventistas del Séptimo Día es que no creen en las transfusiones de sangre. En realidad, los adventistas son conocidos por su énfasis sobre la salud y la sanación. De hecho, su extensa obra médica y sus programas de ayuda de desastre están presentes en todo continente.

De niño (cuando con gusto donó sangre para una transfusión) y de adulto, Desmond demostró que el Adventista del Séptimo Día imita el ejemplo de Jesús al tener compasión hacia los dolientes.

## Un ministerio de curación

Una de las actividades más reconocidas de los Adventistas del Séptimo Día es la de brindar curación a los demás. Jesús dijo, "Amarás al Señor tu Dios con todo tu corazón ... y a tu prójimo como a ti mismo" (Lucas 10:27). Los relatos Bíblicos que narran el ministerio de Jesús a los enfermos es mucho más extenso que los relatos sobre sus enseñanzas y prédicas. A menudo Jesús pasaba por aldeas y sanaba a todo enfermo del lugar.

Es probable que en años recientes usted haya visto a los Adventistas del Séptimo Día en las noticias, proporcionando tratamiento médico gratis a grandes números de personas en lugares como Oakland, San Francisco, y Spokane. Del 8–10 de abril, 2015, más de 6.000 personas de la comunidad de San Antonio recibieron ayuda gratis en el coliseo Alamodome. En abril del 2016, más de 10.000 personas hicieron fila para recibir más de $30.000.000 de dólares de servicios médicos gratuitos en Los Ángeles en el espacio de dos días. Además de cirugías, la clínica regaló ropa, servicios legales gratuitos, cortes de cabello, y servicios para eliminar tatuajes, todo por mano de voluntarios.

El amor de Jesús se demuestra en más que clínicas médicas gratuitas en grandes urbes de los Estados Unidos. El ejemplo de servicio de Cristo ha llevado a la Iglesia Adventista a formar programas de servicio a la comunidad alrededor del mundo, uno de ellos llamado la Agencia Adventista de Desarrollo y Alivio (ADRA por sus siglas en inglés). Esta organización humanitaria global demuestra el amor y la compasión al brindar alivio de emergencia a personas en la pobreza y la angustia en más de 130 países. ADRA trabaja con muchos diferentes tipos de programas para combatir el hambre y promover la nutrición adecuada, el alivio de desastres, agua potable y el saneamiento, ayuda a los niños, y el alivio económico.

El ministerio médico es otra de las muchas maneras en que la iglesia de Desmond demuestra el amor de Dios. A nivel global, hay más de 170 hospitales adventistas que brindan alivio a los enfermos y dolientes. Hay más de 140 centros para personas de edad avanzada y centros de jubilación, 385 clínicas y dispensarios, 29 orfanatorios y hogares para niños, y siete aviones y lanchas médicos. Con todo, sirven a más de 18 millones de pacientes externos cada año.[18] En los Estados Unidos, casi 120.000 empleados sirven a 10 millones de personas cada año en ochenta y cuatro hospitales, clínicas de cuidado urgente, agencias de salud en el hogar, así como instalaciones de cuidado a largo plazo, y hospicios.[19]

## Estilo de vida saludable

Porque la Biblia enseña que, "Vuestro cuerpo es templo del Espíritu Santo", y que debemos de glorificar a Dios en nuestros cuerpos (1 Corintios 6:19, 20), los Adventistas del Séptimo Día practican un estilo de vida saludable. Esto incluye más que el cuerpo físico. Sus creencias afirman, "Se nos invita a ser gente piadosa que piense, sienta y actúe en armonía con los principios del cielo. Para que el Espíritu vuelva a crear en nosotros el carácter de nuestro Señor, participamos solamente de lo que produce pureza, salud y gozo cristiano en nuestra vida".[20]

Como resultado de su énfasis en el cuidado a la salud personal, un número de estudios han mostrado que los adventistas viven un promedio de 10 años más que la persona promedio. En noviembre 2005, Dan Buettner escribió para la revista *National Geographic*, "Los secretos de una larga vida". Descubrió zonas geográficas donde los habitantes viven más que el promedio, llamándolas "zonas azules". Una de esas zonas azules está en Loma Linda, California, y no se debe a la geografía, sino porque contiene una alta población de adventistas. Buettner estudió las prácticas de vida adventistas: una dieta vegetariana, el ejercicio, beber agua suficiente; y aprendió que una cosa que los adventistas hacen que contribuye a su salud es guardar el sábado. Tomarse un receso de los rigores de la vida diaria

---

18    https://www.adventistarchives.org/quick-statistics-on-the-seventh-day-adventist-church

19    http://documents.adventistarchives.org/Statistics/Other/SDAWorldChurchStatistics2014.pdf

20    https://www.adventist.org/es/creencias/la-vida-diaria/conducta-cristiana/

para enfocarse en Dios, la familia, y los amigos, alivia el estrés y fortalece los lazos sociales.

Un acrónimo sencillo describe los principios del estilo de vida saludable practicado por los adventistas del séptimo día—NEWSTART. Estas ocho mayúsculas son un bosquejo de ocho leyes de salud que proporcionan energía, paz, y gozo a los adventistas que las practican. Constituyen la buena nutrición, el ejercicio regular, agua en cantidades apropiadas, la luz del sol, la moderación por medio de la temperancia (abstenerse del alcohol, el tabaco, los narcóticos y los estupefacientes), el aire fresco, el descanso adecuado, y la confianza en el poder de Dios.[21]

Los Adventistas del Séptimo Día además creen que nuestras diversiones y entretenimiento deben alcanzar las normas más elevadas de buen gusto y belleza. Aun nuestra forma de vestir, con modestia y sencillez, da testimonio de nuestra relación con Dios y hace impacto a nuestra salud y asociaciones. Los adventistas no practican el adorno personal en exceso y creen que Dios valora la belleza de carácter sobre toda otra cosa.

En cierta ocasión, un colega soldado le preguntó a Desmond por qué no fumaba cigarrillos ni bebía bebidas alcohólicas. Después de compartir que el Apóstol Pablo dijo que nuestros cuerpos son templo del Espíritu Santo, Desmond añadió: "Ahí te lo dice todo, que el cuerpo es el templo de Dios, y no mancillamos el templo con nicotina ni alcohol ni café ni te. Y no creo que me estoy perdiendo gran cosa. Antes, de niño, fumaba cigarrillos de maíz, y en ocasión una colilla de cigarrillo, pero ambos me daban todos".

Desmond se preguntaba: "¿Cómo explicarle a su amigo despreocupado que aun si la abstinencia parecía difícil, los atributos del adventismo hacían de tales sacrificios algo menor? Desmond no se consideraba un aguafiestas. Los adventistas son un grupo feliz".[22]

21  http://newstart.com/what-is-newstart1/#sthash.PBPqz4QL.dpbs
22  *The Unlikeliest Hero*, p. 37.

# UN VEREDICTO FINAL

Los oficiales militares de Desmond lo consideraban un tipo raro, un dolor de cabeza, y un elemento perturbador. Existía un cierto prejuicio en contra de los objetores de conciencia, a quienes llamaban "conchis",[23] porque se les consideraba flojos que buscaban la manera de no servir en las Fuerzas Armadas.

Un día uno de sus sargentos lo acusó: "Ustedes son todos iguales, quieren libertad religiosa pero cuando el país los necesita para proteger esa libertad, ustedes no quieren nada".

Desmond respondió: "Es ahí donde usted se equivoca, Sargento".[24] Las acciones heroicas de Desmond confirman sus palabras.

Mucha gente tiene ideas descabelladas acerca de la Iglesia Adventista del Séptimo Día. Han oído mala información o han oído a otros llamarlos extremistas. Tales prejuicios han causado que muchos no midan objetivamente las enseñanzas de esta iglesia.

En cierta ocasión el Apóstol Pablo fue acusado de ser el instigador de una secta cuestionable. Los líderes religiosos con sus prejuicios se quejaron amargamente, "Hemos hallado que este hombre es una plaga, y promotor de sediciones entre todos los judíos por todo el mundo, y cabecilla de la secta de los nazarenos" (Hechos 24:5). Se le estaba acusando de ser el líder de una secta extremista.

Sin embargo, notemos la sencillez con la que este seguidor de Jesús explicó sus creencias. "Esto te confieso, que según el Camino que ellos llaman herejía, así sirvo al Dios de mis padres, creyendo todas las cosas que en la ley y en los profetas están escritas" (verso 14).

Por que insisten en basarse siempre sobre la roca de las Escrituras, los Adventistas del Séptimo Día a menudo son llamados, "El pueblo de la Biblia". Confrontados con preguntas difíciles, dificultades, y malentendidos sobre sus enseñanzas, pronto se preguntan, "¿Qué dice la Biblia?"

---

23   "Conchis", por ser objetor de conciencia; en inglés la palabra conciencia se pronuncia "kanchiens".

24   *The Unlikeliest Hero*, p. 21, 22.

La Palabra de Dios indica que vendrá un tiempo que sacudirá las creencias más arraigadas de toda persona sobre el planeta. Eventos mundiales traumáticos y movimientos políticos descabellados llevarán al pueblo a escudriñar sus Biblias como nunca antes. Al igual que Desmond, muchos cristianos darán testimonio de su fe ante los tribunales. Y sus palabras no caerán sobre oídos sordos.

¿Qué siente usted acerca de nuestro mundo, acerca de los tiempos perplejos en los que vivimos, acerca de la deterioración de la sociedad y los desastres catastróficos que se ven en el mundo natural? Jesús nos aconsejó como sobrevivir las tormentas más tumultuosas que sobrecogerán a toda la humanidad.

"Cualquiera, pues, que me oye estas palabras, y las hace, le compararé a un hombre prudente, que edificó su casa sobre la roca. Descendió lluvia, y vinieron ríos, y soplaron vientos, y golpearon contra aquella casa; y no cayó, porque estaba fundada sobre la roca" (Mateo 7:24, 25).

Hoy en día la Biblia es más relevante que nunca para usted y su familia. ¡Compruébelo! Nuestros guías de estudio de la Biblia le ayudarán a captar el mensaje de la Biblia como nunca antes.

# OBTENGA RESPUESTAS SIN DEMORA

AMAZING FACTS

# ¡PIDA SUS GUÍAS IMPRESOS COMPLETAMENTE **GRATIS**!

(O siga los estudios en línea en amazingfacts.org/bible-study/free-online-bible-school)

**Bible Correspondence Course
PO Box 909
Roseville, CA 95678**

Nombre Completo

Domicilio                                    Ciudad                        Estado    Código postal

Correo electrónico                          Teléfono